BT
REPORT

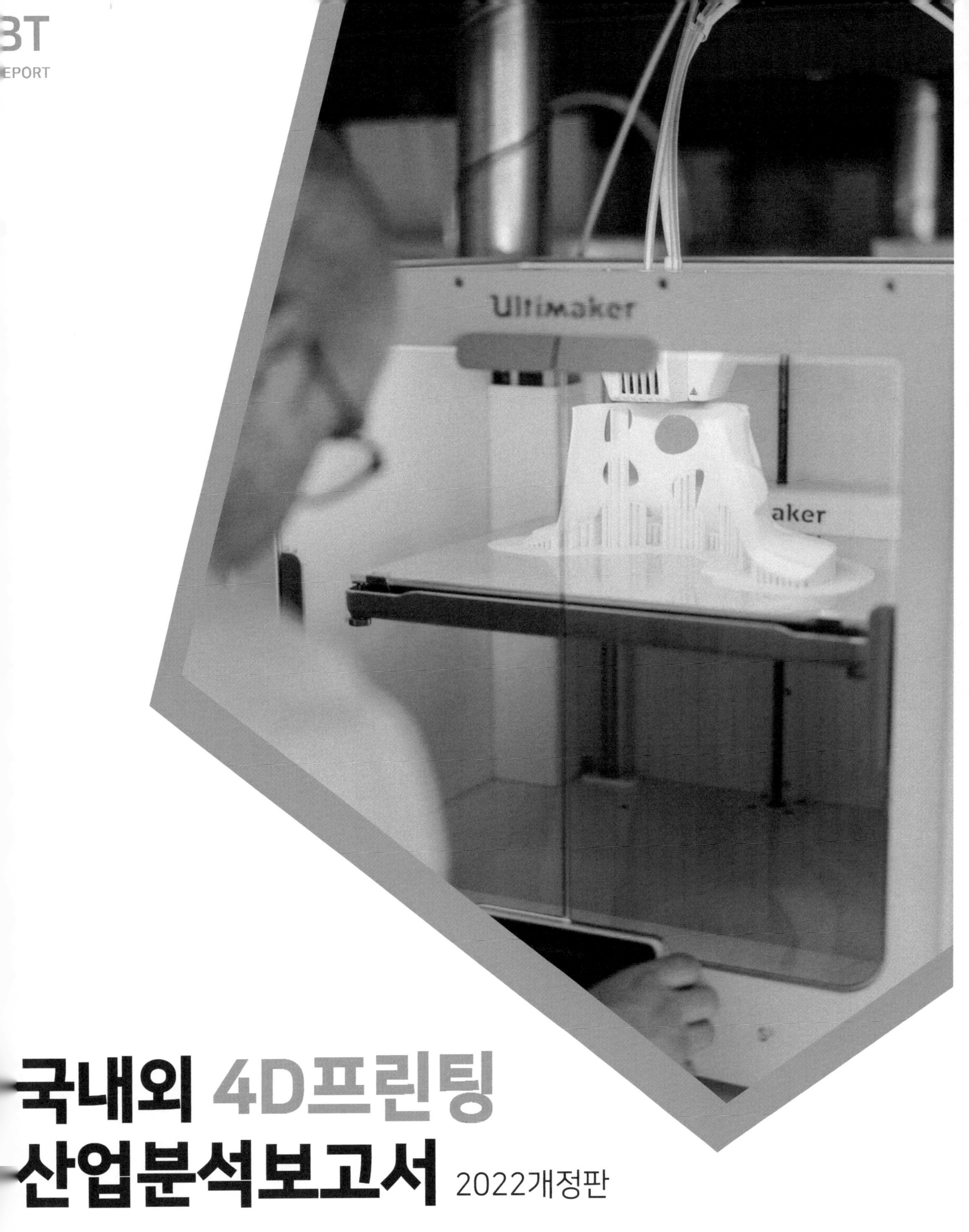

국내외 4D프린팅 산업분석보고서 2022개정판

저자 비피기술거래 비피제이기술거래

㈜ 비티타임즈

<목차>

1. 4D프린팅이란?

1. 4D 프린팅이란?

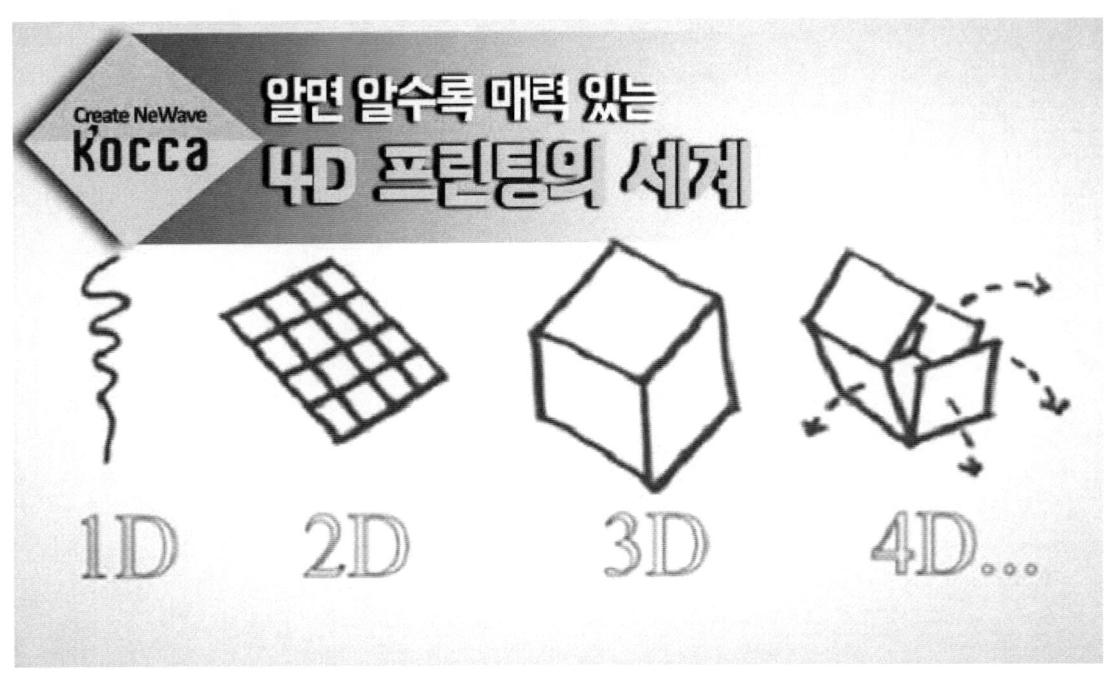

[그림 1] 4D 프린팅

1970년대 처음 등장한 '3D 프린팅'은 원하는 물건을 무엇이든 프린터로 찍어낼 수 있다는 장점을 내세우며 일간의 삶을 변화시킬 기술로 각광받으면서 집중적으로 개발되었다. 그 결과, 현재는 일반인이 장난감, 핸드폰 케이스 등 간단한 제품을 만들 수 있도록 보급형 3D 프린터가 만들어지고 있으며, 인공 뼈를 만드는 등 헬스케어 분야에서도 큰 관심을 받고 있다.

하지만, 3D 프린팅에는 출력물 크기의 한계와 부품을 만드는 경우 조립을 해야 한다는 단점이 지적되고 있다. 이러한 3D 프린팅의 단점을 극복하기 위해 제시된 것이 바로 '4D 프린팅'으로 현재 미래를 이끌 유망기술로 부상해 세계적으로 기술 개발 경쟁이 불붙는 분야가 되었다.

2013년에 미국 MIT 자가조립 연구의 스카일라 티비츠(Skylar Tibbits)교수의 '4D 프린팅의 출현(The emergence of '4D printing')'이라는 제목의 Ted강연을 통해 처음으로 세상에 나타난 4D 프린팅은 3D 프린팅에 자가변환과 자가조립 등의 개념이 더해진 것으로 기존 3D 프린팅의 한계로 지적받고 있는 크기의 제한과 부품 조립의 문제를 해결할 수 있다.

4D 프린팅은 1차 출력물을 만드는데, 이것은 완성이 아닌 다른 형상으로 변하기 위한 밑그림으로 출력된 물체는 가열, 진공, 중력, 공기역학 등 다양한 에너지에 의해 자극을 받아 변환가 자가조립을 수행한다.

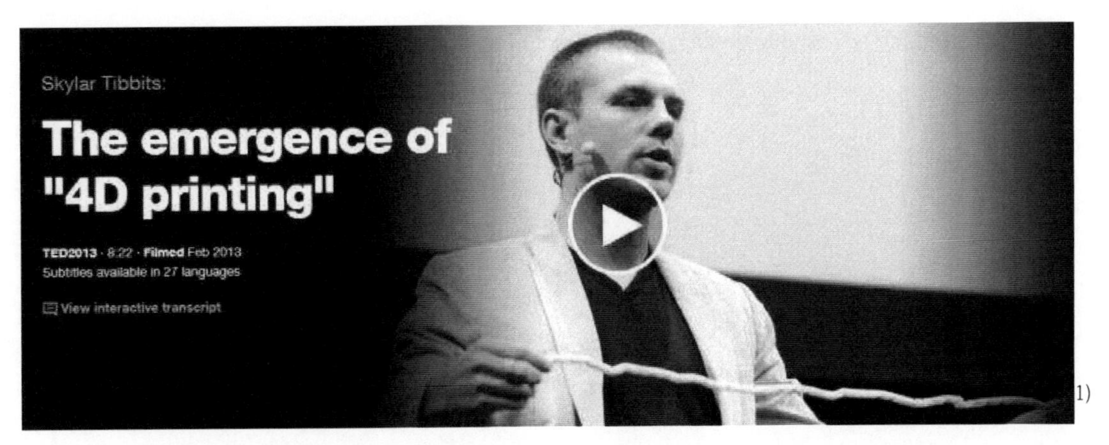

[1]

[그림 2] 4D 프린팅의 출현(The emergence of '4D printing') 강연

이와같은 4D프린팅 제품을 만들려면 온도나 습도 등에 따라 모습이 변하는 '스마트 소재'를 사용해 3D프린터로 최종 제품의 설계도 역할을 할 제품을 출력해야 한다. 스마트 소재는 나무나 종이 등 기본적인 소재는 물론이고 형상기억합금이나 형상기업폴리머섬유 등 첨단소재까지 다양하게 활용할 수 있다. 1차 출력물이 처음에 설계했던 조건과 만나면 모습이 변하면서 최종 원하는 제품이 만들어진다. 모습이 변하는 과정에서 스스로 조립도 할 수 있다.

MIT가 공개한 4D프린팅 사례를 보면 물과 만나 팽창하는 나무를 이용해 코끼리 밑그림을 출력했는데, 이를 물에 담그면 코끼리 모형으로 변했다. 즉, 나무소재로 만든 결과물이 자가변환을 통해 최종 완성된 사례로 볼 수 있다. 또 다른 사례로는 종이로 만든 밑그림이 자가조립 과정을 거쳐 상자나 축구공 등으로 만들어지는 경우도 있다.

이러한 기능을 가진 4D프린팅은 3D프린팅을 적용하는 의료, 건설, 로봇 등의 분야는 물론이고 자체변환과 자체조립을 이용하면 3D프린팅으로 할 수 없던 한 단계 진화한 일들도 가능하게 할 것으로 보인다.

최근 국내 한 연구팀이 4D 프린팅 기술을 이용해 동물의 근육과 뼈를 재생시키는 놀라운 성과를 발표했다. 이들은 콜라겐과 하이드록시아파타이트로 만든 지지대를 4D 프린터로 제작했다. 하이드록시아파타이트(hydroxyapatite)는 치아와 뼈의 주성분으로 인공 뼈나 치아 임플란트, 화장품, 광촉매 재료로 광범위하게 사용된다. 연구팀이 만든 혼합 지지대를 뼈가 어긋난 생쥐에게 적용한 결과 골조직 형성이 증가했고 이식 부위 주변 조직에서 신생혈관도 효율적으로 생성되는 성과가 나타났다. 연구팀은 이와 유사한 연구를 진행하고 있으며 이러한 연구 결과를 토대로 앞으로 뼈와 인대, 신경조직, 골격근 등에도 응용할 수 있을 것이라고 밝혔다. 실용화를 위한 연구는 이제 시작이겠지만 앞으로 미래 인간의 몸을 기계로 만드는 데 있어 커다란 청신호가 터진 셈이다.[2]

1) [과학 핫이슈]3D 넘어서는 4D프린팅, 권건호, 전자신문, 2015.09.07
2) SF 영화 속 기술이 현실이 되다!'4D 프린팅'/ 삼성디스플레이 뉴스룸

2. 4D프린팅 기술

2. 4D 프린팅 기술[3)]

3D 프린팅 기술은 3차원 공간개념과 프린팅 기술이 결합한 개념이다. 그렇다면 4D 프린팅 기술은 어떤 것일까?

4D 프린팅 기술도 3D 프린팅 기술과 유사한 개념으로 3D 공간에 하나의 차원인 시간 개념을 추가한 것이다. 즉, 시간 개념이 들어 있는 3D 프린팅이라고 생각하면 된다. 3D 프린팅 기술이 디지털 정보와 3D 프린터를 이용하여 원하는 입체를 구현하는 것을 의미한다면, 4D 프린팅 기술은 이러한 3D 프린터에 의해서 나온 구조체가 환경에 반응하면서 시간에 따라 변화하는 개념을 추가하고 있다.

다시 말하면, 3D 프린팅 기술을 이용해 만든 물체가 온도, 햇빛, 물 등의 요인에 따라 스스로 변형되도록 만드는 기술이 4D 프린팅 기술인 셈이다. 예를 들어 3D 프린터로 의수를 출력했다면, 특정 온도나 압력 혹은 외력의 특정 조건에 의해서 출력물의 손가락이 접히거나 움직일 수 있게 프린팅하는 것이 4D 프린팅이라 할 수 있다.

4D 프린팅 기술의 원리는 3D 프린팅 기술을 기반으로 이루어져있다. 4D프린팅을 위해서는 우선, 캐드(CAD) 등의 모델링 프로그램으로 만들고 싶은 제품을 디자인하는 것부터 시작해야 한다. 이때, 이 디자인을 액체, 고체 형태의 플라스틱, 금속 등 다양한 재료를 넣은 3D 프린터로 출력해 3D 프린터로 만든 물체가 크기, 형태 등 다양하게 변화할 수 있도록 한 것이 바로 4D 프린팅이다.

4D 프린팅 소재는 자극 반응형 소재와 스마트 소재로 구분가능하며 4D프린팅은 다양한 분야에서 적용 가능하나, 특히 생명공학이나 의료공학 관련 기술에 많이 사용된다.

3) 미래 사회를 이끌 4D 프린팅 기술, 문명운, 포항공대신문, 2015.10.07

가. 4D 프린팅 소재

기존의 3D 프린팅 소재는 플라스틱, 금속, 세라믹 등 종류도 매우 다양해지고 있다. 하지만, 4D 프린팅 기술을 구현 할 수 있는 특정 소재는 기존의 3D 프린터로 프린팅 할 수 없는 경우와 같이 4D 프린팅 기술에서 사용하기에는 소재 측면에서 여러 가지 제약이 따르는 경우가 많다. 하지만, 최근 4D 프린팅이 큰 관심을 받으면서, 특정 기능성을 가진 소재가 개발되고 이를 프린팅할 수 있는 3D 프린터 및 공정 기술이 점차 개발되고 있다.

4D 프린팅 기술에서의 소재의 선택은 매우 중요한 부분이다. 처음 4D 프린팅에는 온도에 반응하여 길이나 형상이 변화하는 소재를 사용했고, 이후 온도에 의해서 팽창하거나 수축하는 소재나 더 나아가서 그 형상을 기억하여 변형하는 형상 기억합금[4]이나 형상기억 고분자가 사용되고 있다.

또한 물이나 액체를 쉽게 흡수하는 소재를 이용한 4D 프린팅 기술에 대한 발표가 나오고 있는데, 이는 물을 흡수할 수 있는 다공성 소재를 한 면에 프린트하고 그 반대 면에는 물을 흡수하지 않은 기공이 거의 없는 소재를 프린트하여 두 개의 다른 흡수성을 가진 구조체가 특정 형상을 만들어내도록 설계하는 방법이다. 이후 물속에 이 프린팅된 구조체를 담그게 되면 물을 흡수하는 면에서 급속히 흡수하면서 팽창이 일어나 물을 흡수하지 않는 면이 안쪽으로 가게 구조가 변하게 된다. 이러한 원리를 막대형상에 적용하면 구부러지거나 3차원 구조체를 구현하게 된다.

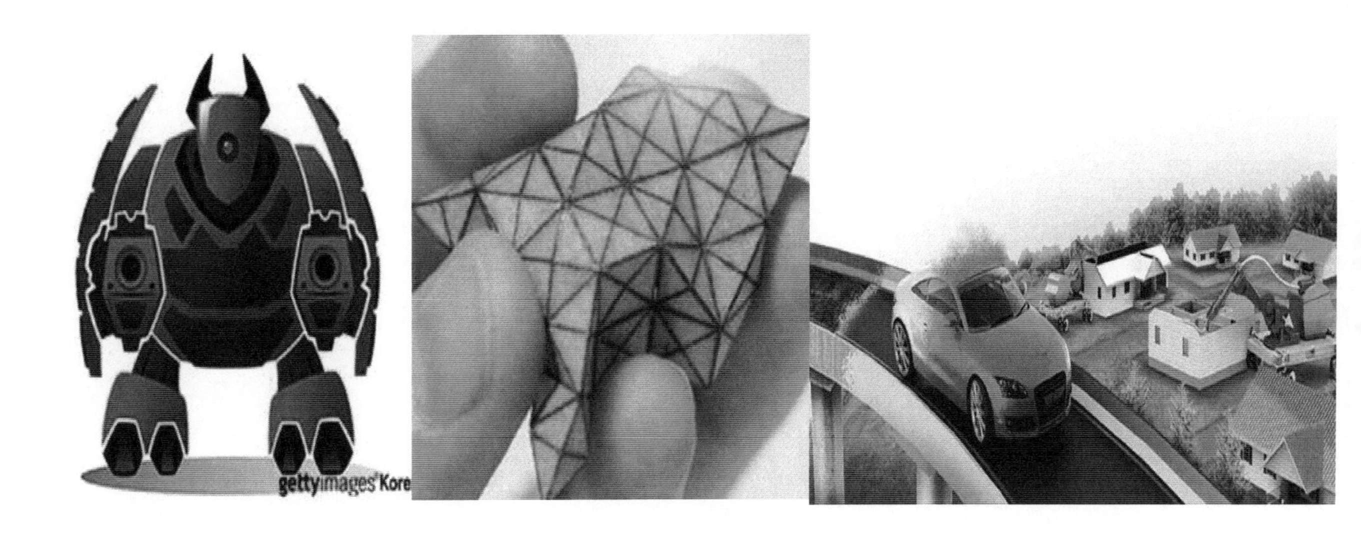

이러한 4D 프린팅 산업에는 다양한 변화하는 소재를 사용하는데, 4D 프린팅 소재전망을 살펴보기 위해서 3D 프린팅 소재 산업의 현황과 전망을 살펴보도록 하자.

4) 형상기억합금은 변형이 일어나도 처음 모양을 만들었을 때의 형태를 기억하고 있다가 일정 온도가 되면 원래의 형태로 돌아가려는 성질을 가지기 때문에 온도 반응 4D 프린팅 기술에 적절히 사용되고 있다.

1) 3D 프린팅 소재 산업[5)]

가) 3D 프린팅 소재

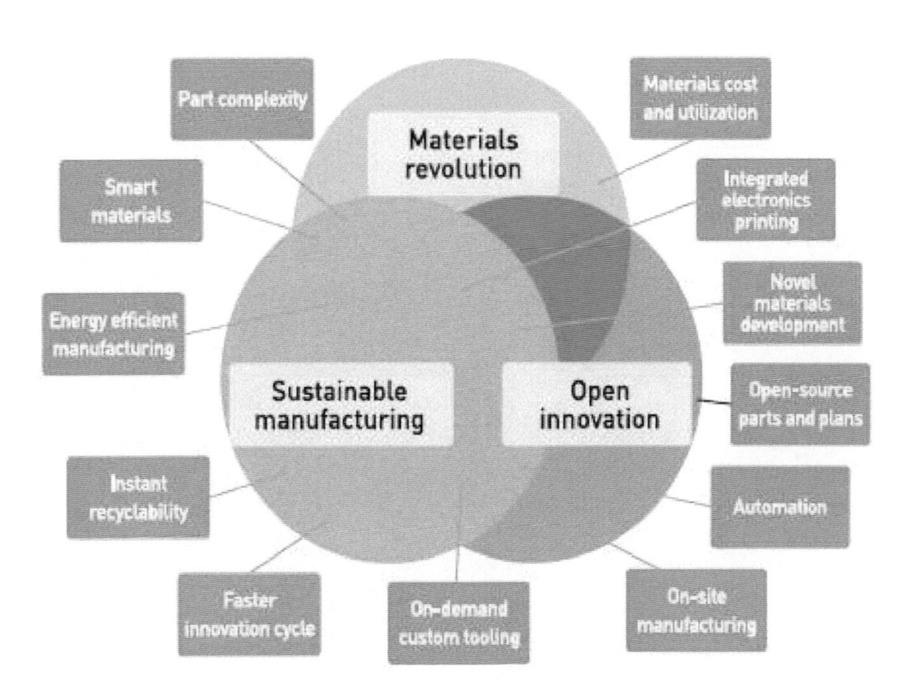

[그림 6] 3D 프린팅 소재와 기술 혁신

4D 프린팅과 마찬가지로 3D 프린팅 또한 소재가 미래를 좌우한다고 할 수 있다. 3D Printing 소재는 플라스틱, 금속류, 세라믹 등 다양한 소재가 쓰인다, 플라스틱 3D 프린팅 소재 중 비교적 저렴하고 가공성이 좋기 때문에 많이 사용된다.

현재 3D 프린팅 출력물의 재료가 되는 플라스틱 수지를 필라멘트라고 하면서 대표적인 소재로 ABS와 PLA로 구분된다.

ABS는 아크릴로니트릴과 부타디엔, 스티렌을 중합해 만든 고분자 화합물이며, 일반 플라스틱버다 충격과 열에 강하다. ABS 소재는 도금이나 도색을 했을 때 발색력도 좋아 장난감ㅇ;나 가구, 전자기기등 다양한 제품에 많이 사용되는 소재이다.

PLA는 폐기 시 미생물에 의해 생분해되는 재생 가능한 바이오 플라스틱이다. 환경호르몬 등의 유해물질이 걱정이 적고 특히 3D 프린터에 인쇄할 대 냄새가 거의 없지만 흡습성이 높아 보관시 주의해야 한다.[6)]

5) 3D 프린팅 고분자 소재의 현황과 연구방향, KEIT, 2014.08
6) 3D 프린터 다양한 소재/ 네이버 포스트

소재 형태	3D 프린팅 소재	비고
Thermoplastic	PLA	국내서 FDM용으로 가장 많이 사용하는재료. 용융시 프린터를 끈적끈적하게 하여 작업하기 어렵고, 자연 분해되는 친환경 소재이나 재순환이 어려운 소재, 흡습이 높아 재료보관 주의
	ABS	세계적으로 가장 많이 사용하는 소재, 용융시 냄새 문제큼.
	PVA, HIPS	출력 후 물과 Oil에 녹여내는 supporter로 주로 사용됨
	Polycarbonate, Nylon, Polyphenylsulfone	열변형온도(HDT)가 100~150℃인 기능성고분자로 열수축 주의 필요.
	ULTEM, PEEK와PAEK 등의 엔지니어링 플라스틱	열변형온도 150℃이상인 고강도 엔지니어링재료. Utem 상용화
Powder	Polyamide	Nylon 12가 많이 사용되는 소재
	Alumide	회색의 aluminum powder와 polyamide의 blend
	Multi-color	미세 그래뉼 분말로 제조
Resin(액체)	고정밀 UV 레진	Photo-polymer 액체
	페인트형 레진	매끈한 표면과 미관 형성
	투명레진	경화 가능한 액체 (광경화 아님)
금속	Titanium	경량 & 최고 강도 3DP 소재, 분말을 레이저로 소결시킴
	Stainless steel	동 합침 분말, 가장 저렴한 금속, 고강도
	동(Bronze)	분말
	Brass, Silver, Gold	-
세라믹	유리, 알루미나, 실리카 분말 등	열저항성, 재순환 가능, 음식물 안전

[그림 7] 3D 프린팅 주요 소재

나) 3D 프린팅 소재 산업 현황

3D 프린터 제조기업들의 소재 특허 출원 분야는 기업마다 다르지만, 대부분 자동차, 항공우주분야, 의료분야, 금속과 모래에 대해 중점적인 연구가 이루어지고 있다.

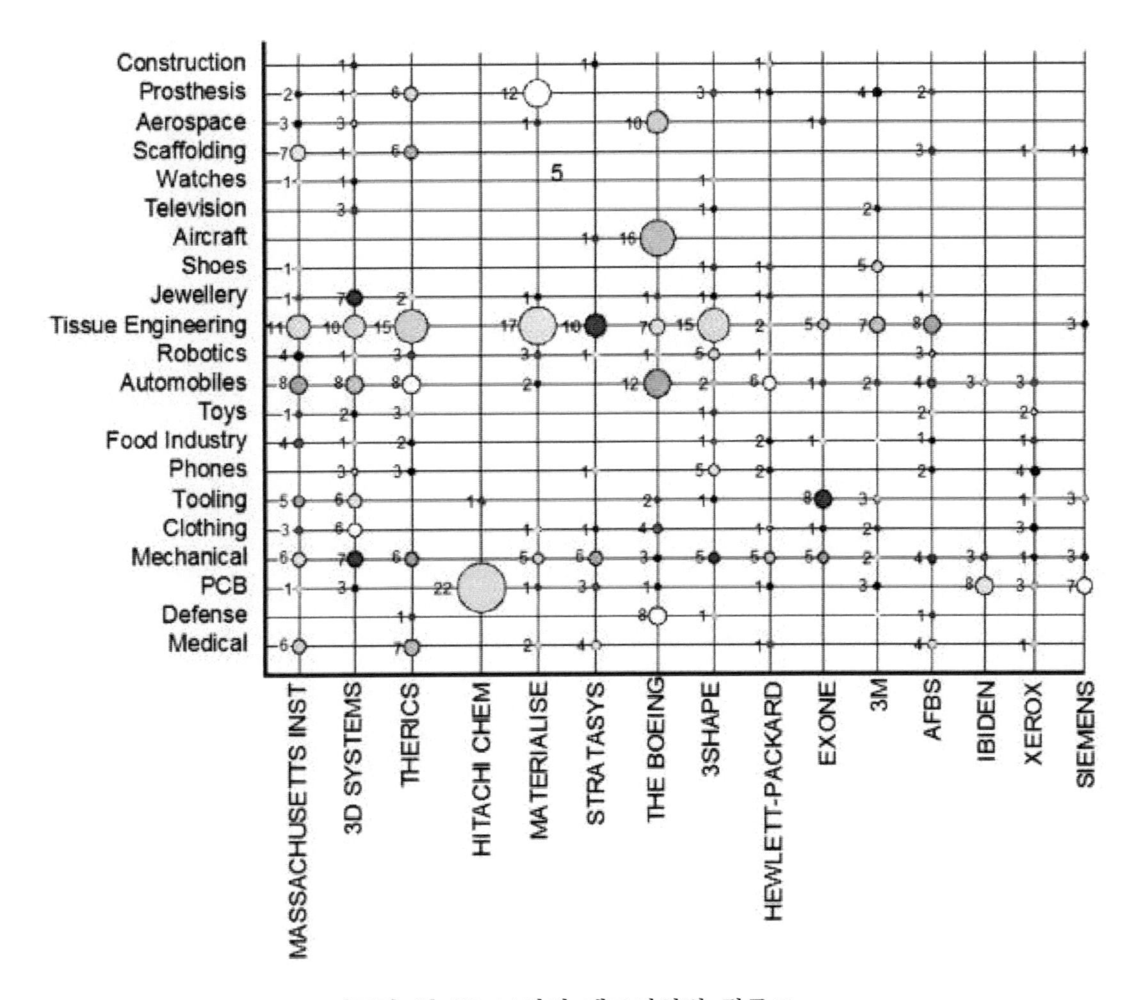

[그림 8] 3D 프린터 제조기업별 집중도

3D Systems과 Massachusetts Inst.은 특정 산업에 치우치지 않고 다양한 산업 소재특허를 출원하고 있으며, Stratasys는 인체조직공학, 기계 및 의료 분야 소재 특허를 주로 출원하고 있다.

Boeing은 자동차, 항공, 방위산업 관련 응용소재를 중심으로 특허를 출원하고, 자동차산업용 소재 연구는 Boeing, 3D Systems, Massachusetts Inst., Therics Inc.와 HP 등이 주도하고 있다.

현재 3D 프린팅 산업은 자동차 산업과 가전*소비재산업에서 가장 활발하게 응용되고 있으며, 이 두 산업에서 많이 사용되는 소재는 다음과 같다.

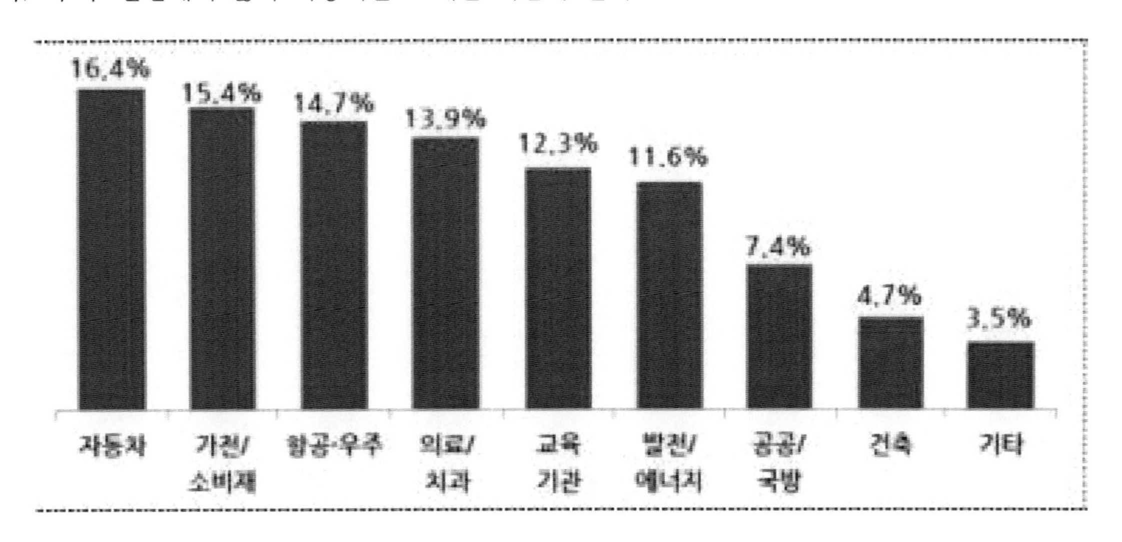

[그림 9] 3D 프린터 응용 산업별

자동차산업 및 가전*소비재산업 분야의 3D 프린팅 소재는 고체(ABS, PLA 등), 분말(나일론, 유리, 세라믹, 티타늄 등), 액체(포토폴리머 플라스틱) 등 고분자 소재를 중점적으로 출원하고 있는데, 두 산업의 특성상 고강도 소재를 요구하므로 금속 소재의 비중이 고분자 소재에 비하여 상대적으로 큰 비율을 보이고 있다.

자동차산업 및 가전*소비재산업용 3D 프린팅 고분자 소재는 경량이라는 장점을 가지고 있지만 강도가 부족한 것이 단점이어 앞으로 자동차산업 및 항공산업용 고분자 소재의 개발에서는 고강도를 부여할 수 있는 ABS 같은 소재를 중점적으로 고려할 필요가 있다.

다) 3D 프린팅 기술 동향

3D 프린팅 기술이 미래 산업의 새로운 성장 동력으로 여겨지면서, 전 세계가 기술 진흥과 시장 확대 정책을 펼치고 있다. 미국, 유럽, 일본, 중국이 특히 앞선 정책으로 기술 시장을 선도하고 있으며, 한국에서도 미래창조과학부와 산업통상자원부가 중심이 돼 '3D프린팅 산업 발전전략'을 공동으로 수립하는 등 새로운 먹거리 산업발굴에 골몰하고 있다. 단기간에 성과를 볼 수 없는 분야라는 점에서 지속적인 지원과 진흥정책이 요구된다.

또한, 플라스틱 소재는 용해와 재결정과정의 물성이 더욱 민감하여 나일론5, 나일론6,6 또는 PP 등과 같은 공학적 물성을 갖는 새로운 소재의 개발이 어렵고, 3D 프린팅 플라스틱 소재는 금속소재에 비하여 여러 물성[7])이 요구된다.

이처럼 플라스틱 소재의 모든 중요 물성을 조절하기 어려워 3D 프린터에 사용이 가능한 플라스틱 소재가 제한적인게 현실이다. 특히 FDM과 SLS의 경우에 플라스틱 융점 부근의 온도에서 장시간 체류하므로 플라스틱의 열안정성이 매우 중요하기 때문에, SLS용 고분자 소재인 thermoplastic은 전형적으로 crystalline melting point를 보여야 한다.

즉, 프린팅 작업온도(T)는 결정화 온도(Tc)보다는 높고 융점(Tm)보다는 낮아야 하고, 3D 프린팅 과정에서 변형 (deformation 또는curling) 방지를 위하여 (Tm-Tc) 차이가 가능한 한 큰 분말을 사용하는 것이 바람직하다.

또한, SLS용 고분자 소재인 thermoplastic은 용융엔탈피(enthalpy of fusion: ΔHf)가 가능한 한 클수록 유리한데, 이는 용융엔탈피가 클수록 제조된 제품의 기하학적 형태가 양호하기 때문이다. 만약, 용융엔탈피가 작으면 레이저로 공급된 에너지가 열전도에 의해서 이미 형성된 벽면 부근에 있는 분말입자들을 케이크화하게 된다.

불소고분자와 공중합체는 내열성, 내후성, 발수성, 방오성, 내인화성, 내화학성, 압전성 등이 우수해, laser와 infra-red(IR) sintering 소재로 사용가능하다. SLS 레이저 신터링에 이용되는 불소고분자 또는 불소고분자 공중합체/아크릴 또는 메타크릴 고분자 blend도 포함되며, Polyvinylidenefluoride(PVDF)와 Polychlorotrifluoroethylene(PCTFE)와 이들의 공중합체가 3D 프린팅 SLS 소재로 적합하다.

보다 바람직한 PVDF 공중합체는 적합한 양의 crystallinity를 가지고 있어 확실한 융점을 보여야 하며, 3D 프린팅 인쇄제품의 brittleness를 줄이기 위해 약간의 non-crystallinity도 필요하다.

7) 입자 크기와 분포, 입자형상, 분자량, 융점, 재결정온도, 용해 시 점성, 레이저에 대한 반응성, 휘발성, 잔존 단량체 & 휘발물질 함유 문제, 장시간 고온에서 분자적 변화 양상(열안정성) 등

현재, 3D 프린터 제조업체가 3D 프린팅 소재를 독점하고 있는데, 미국의 3D Systems, Stratasys, 중국의 티타늄 합금 분말, 독일의 ULTRA, Perfactory가 3D프린팅 기술중에서 가장 높은 점유율을 가지고 있다.

프린터 제조사는 기계적 물성, 미관, 치수안정성, 수율, 시스템 안정성 등을 고려하여 프린터 시스템과 소재를 서로 최적화하기 때문에 다른 소재를 사용하는 경우 신뢰성과 품질에 문제가 발생할 가능성이 크다.

이는 프린터가 제대로 작동되지 않으면 사용자들은 프린터의 사용을 기피하기 때문에 이에 대한 대처 방안으로 프린트 제조사들은 소재를 프린터에 최적화하기 시작하면서 생겨난 시장의 모습이라고 볼 수 있다.

3D 프린터용 소재를 개발하기 위해서는 장기간의 연구와 장비, 소재 및 수요 업체들과의 종합적인 협력체제가 필요한데, 미국의 전문 고분자 소재업체인 PolyOne은 3D Printing용 첨단소재를 개발하기 위하여 2012년부터 3년 동안 협력연구 프로젝트(US $3백만grant)를 수행하고 있다.

PolyOne은 연구개발 초기 항공산업 및 자동차산업에 필요한 특수응용소재 연구를 수행했으며 다음 단계에서 의료 포함 모든 분야의 소재연구를 수행할 예정이다. 또한, 본 연구프로젝트에 참여하는 기업은 GE Aviation, 항공기 부품제조 기업, Rapid prototyping bureau(Rapid Prototype&Manufacturing(RP+M)), 3D prototyping 장비 제조기업인 Stratasys 등으로 다양하다.

최근, 기존의 PLS, ABS 소재 외에도 여러 가지 소재에 대한 개발이 발표되고 있는데,실리콘밸리의 Arevo는 카본 복합재료를 출시했으며 PEEK, PAEK와 카본 복합 고강도 3D Printing 복합재료를 출시하여 항공산업, 방위산업 및 의료산업에 활용하는 것을 목표로 하고 있다.

또한, ULTEM, Solvay의 KetaSpire PEEK&AvaSpire PAEK, PrimoSpire self-reinforced polyphenylene, Radel polyphenylsulfone(PPSU) resins 등을 3D Printing 소재로 활용하기 위한 연구가 진행 중에 있는데, MadeSolid는 2014년 초 차세대 소재 PET+ 개발을 발표하기도 했다. 현재 가장 많이 사용되고 있는 소재인 ABS는 냄새 문제가 있고, PLA는 부서지기 쉽고 습기에 약한 문제가 있는데, PET+ 소재는 ABS와 PLA 두 소재의 장점만을 가진 새로운 소재로서 유연성이 우수하고, 수축과 변형이 없으며 재활용이 가능하다는 장점이 있다.

MS 레진은 SLA 프린터용 소재로서 PET+의 경우와 마찬가지로 현재 사용되고 있는 소재의 단점을 없앤 특수 제조 레진으로 선명한 색상이 가능하고, 점성이 낮아 세척이 용이한 장점이 있다.

미국 3D 프린팅의 선두기업인 Stratasys는 2013년 말 고강도 재료인 '디지털ABS2'를 출시했다. 이는 폴리젯(PolyJet) 방식의 3D 프린터용 소재로서 높은 치수안정성을 부여하여 박벽(thin-walled) 구조의 모형 제작에 이상적인 소재로 손꼽히고 있다.

현재 기존 녹색 외에 아이보리색도 출시했으며, 더 나아가 투명한 소재를 개발하여 화장품과 향수병의 prototype을 제작하는데 사용하고 있다.

프라운호퍼 IGB에서 2011년 3D 프린터 기술로 인공 혈관을 만드는데 성공한 바 있으며, 프라운호퍼 ILT에서는 SLM 방식의 적층 가공기술에 상당한 역량을 축적한 것으로 보고되고 있다.

이때, 카본 나노튜브와 플라스틱 사이의 결합은 매우 강하고, 가볍고 고강도기 때문에 자동차, 항공기, 우주선 등에 이용이 가능하다.

국내 소재 전문업체들은 3D 프린팅 소재를 신성장 동력으로 추진 중이나, 현재는 소재시장에 진입하는 초기 단계이다. 국내의 LG화학은 ABS 생산에 집중하고 있는데 ABS는 충격에 강하면서도 가벼워 금속 대체가 가능하기 때문에, 스트라타시스 등이 LG화학의 ABS를 가공해 완제품 성형소재로 활용하고 있다.

대림화학은 3D 프린터용 플라스틱 필라멘트를 생산하고 있으며, 대주전자재료는 터치패널용 나노잉크재료의 개발에 주력하고 있다.

기업	소재 개발 동향
LomikoMetals & American Graphite's Ventures	graphene 소재
Lawrence Livermore	항공, 자동차와 우주선용 초경량, 초경도, 고강도 소재
Windform	카본섬유, 유리 강화 polyamide 소재
DSM	365nm 포함 높은 파장대에서 사용 가능한 photo-polymer 소재, 항공과 자동차산업의 열안정성과 정밀성, 신속성 작업에 적합
EOS	Titanium Ti64ELI와 Stainless Steel 316L 소재
ExOne	청동 함유 316 stainless steel, 청동 함유 420 stainless steel, 동 함유 철과 접합된 텅스텐 소재
Madesolid	레진 출시, 점성이 작아 프린터, 잉크통의 세척 용이
Metalysis	자동차 부품용 저렴한 titanium 분말
Texas Tech	플라스틱과 카본나노튜브 복합 소재

[그림 10] 3D 프린팅 소재 개발 동향

2) 스마트소재[8]

[그림 11] 스마트 소재

스마트 소재(Smart Materials)는 인텔리전트 재료와 유사한 개념으로 외부 환경변화에 따라 반응할 수 있는 재료를 말한다. 스마트 재료는 기존의 재료들이 단지 주어진 환경변화를 수동적으로 견딘다는 한계를 넘어서 생물체처럼 환경에 반응한다는 점에서 앞으로 급격한 산업 환경변화에 따른 요구를 만족 시킬 수 있는 특성을 가질 것으로 기대되고 있다. 스마트재료는 수동형스마트재료와 능동형 스마트재료로 구분되어있다.

먼저 수동형 스마트 재료는 외부 환경이 달라짐에 따라 적당한 방법으로 반응하는 재료를 말한다. 이 재료는 자기가 갖는 특성을 향상시키기 위해 외부 장이나 힘, 또는 피드백 시스탬을 갖고 있지 않다는 점이다. 가장 좋은 예는 부분 안정화 지르코니아다. 이 재료는 상전이가 일어나면서 균열의 끝(tip)부 분에 압축응력을 만들 수 있기 때문에, 기계적 특성이 우수하다. 이와 비슷하게 비행기에 쓰이는 탄소계 복합체나 가공할 수 있는 유리-세라믹 복합체도 섬유(fiber)의 풀-아웃(pull-out)이나 갈라 짐(branching)같은 강화기구가 나타내면서 파괴인성이 높아진다는 점에서 수동형 스마트 재료로 볼 수 있다. 또한, 세라믹 배리스터나 PTC(positive temperature coefficient) 서미스터도 수동 스마트 재료로 볼 수 있다. 예를 들어 산화아연 배리스터는 높은 전압을 받게 되면 저항을 잃어버리기 때문에, 전류 는 접지를 통해 밖으로 흘러나간다. 따라서 스스로 자신을 보호할 수 있다. 그리고 배리스터도 주 기적으로 전압펄스가 주어지는 상황에서 전압과 전류가 갖는 비선형성(nonlinearity)를 회복할 수 있는 기능을 갖고 있다. 또 바륨 티타네이트 PTC도 130℃ 부근에서 전기저항이 크게 높아지기 때문에, 전기충격으로부터 어떤 것을 보호하는데 사용할 수 있다. 전압에 따라 저항특성이 달라지 는 배리스터나 PTC 서미스터도 특성 비대칭성이 심하고, 보호할 수 있는 기능을 갖기 때문에 수동 스마트 세라믹 재료라고 볼 수 있다.

8) 스마트재료/다이아몬드 kist

이밖에 전극 캐피시터(electtrolytic capacitor)나 고분자 캐패시터(polymer capacitor), 여러 가지 상으로 구성된 로켓노즐, 열 지연 PTC 서미스터 복합체 (thermal delay composite PTC thermistor) 등도 이 재료에 속한다.

반대로 능동형 스마트 재료는 센서와 액츄에이터로 구성된다. 센서는 여러 가지 가 있는데 화학적인 변화를 감지할 수 있는 ZnO, 또는 2 상 p-형 반도체 복합체(2-phase composite of a p-type semiconductor)로 만든 화학센서(chemical sensor)가 대표적인 예이며, 전 도성을 갖는 고분자, 절연성을 갖는 고분자 기지에 전도성 필러(filler)를 채운 복합체같은 것도 센 서로 사용된다. 또 광섬유등도 센서로 사용되고 있다. 센서와 함께 능동형 스마트 재료를 구성하는 액츄에이터는 신호에 반응하는 특성을 갖추고 있으며, 피에조 재료(piezoelectric materials), 일렉트로스트릭티브 재료(electristrictive materials), 형상기억 합금, 열조절 가능재료(thermally controllable materials), 전자레올로지 액체 (electrorheological, ER, fluid) 같은 것이 쓰인다. 이중 가장 많이 쓰이는 네가지 그룹을 살펴보면 다음과 같다.

종류	특성
형상기억합금	어떤 온도에서 원래 가지고 있던 모양을 회복하는 특성을 가지면서 대표적안 재료는 니타놀이며, 이 재료로 로봇을 만들었지만, 단점은 반응이 느리다.
피에조 재료	1880년 프랑스의 피에르와 퀴리에 의해 발견되었는데, 전압에 따라 수축과 팽창을 할 수 있다는 특징을 갖고 있다. 이때 수축과 팽창 정도는 1% 미만이지만 반응속도가 대단히 빠르기 때문에 광소자, 마그네틱 헤드, 로봇, 잉크젯 프린터등 많은 분야에 쓰인다.
일렉트로스트릭티브	전기장보다는 자기갖에 반응한다는 특징을 갖고 있다. 희토류인 터비움을 함유한 터페놀 D(Terfenol-D)라는 재 료가 대표적인 것으로 약 0.1%정도 팽창할 수 있고, 고출력 소나 전환기(high-power sonar transducer), 모터, 수력 액츄에이터(hydraulic actuator) 등에 쓰인다.
전자 레올러지 액체	액체안에 작은 입자를 포함하고 있으며, 전기장이나 자기 장에 따라 이 입자들이 반응하면서 액체의 점성을 바꾸어 놓는다. 응용분야는 댐퍼(tunable damper), 진동차단 시스템, 로봇의 팔, 브레이크나 클러치같은 내마모 소자등에 쓰인다.

[표 1] 스마트 소재의 종류와 특성

가) 스마트소재 시장 동향

스마트소재는 제조업, 방위/항공우주, 자동차, 소비자 가전, 헬스케어, 토목 등 다양한 분야의 산업에 사용되고 있다. Allied Market Research의 2016년 보고서에 의하면, 세계 스마트소재 시장의 규모는 2015년 289.7억 달러에서 연 평균 14.9%의 성장률을 보이며 2022년 726.3억 달러에 이를 것으로 예측되며, 국내시장은 2015년 6,868억 원에서 연평균 15.9%로 성장하여 2022년 1조 9,293억 원으로 예측된다.

지역별 스마트소재 시장은 독일, 미국, 중국, 일본 등 전통적인 소재 강국들은 생산 효율 증대와 친환경 고객 맞춤형 생산으로 제조업 경쟁력을 강화하고 있는 설정이다.

지역	2018	2019	2020	CAGR (%)
북미	76.11	81.7	87.74	7.37
유럽	70.97	75.44	80.19	6.3
아시아	86.28	94.83	104.23	9.9
중동	12.66	14.10	15.68	11.3
합계	246.02	266.07	287.84	8.08

[표 2] 세계 스마트 소재 시장 전망 (단위: 억 달러)

아시아 태평양 지역은 2020년 세계 시장에서 가장 큰 비중을 차지했는데, 이는 중국, 인도의 급속한 산업화로 인해 건설, 제조, 자동차, 소비자 가전 산업 등에서 스마트 재료의 수요가 증가하고 있기 때문으로 보인다. 또한 아시아 태평양 지역에서는 스마트 기기에 대한 가국 정부가 높은 투자를 진행하고 있으며, 중소기업의 스마트 소재 투자 활성화를 유인하는 지원 정책이 스마트 소재의 사용을 가속화 시키고 있다. 국내 스마트 소재 시장의 규모는 2020년 78.3억 달러에서 연 평균 11.2%의 성장률을 보인다.

스마트 소재의 응용 시장을 살펴보면, 변환기는 다양한 전자 제품에서 응용이 증가해 2015년 76.7억 달러를 기록하며 가장 큰 시장을 차지했으며, 예측기간 동안 연 평균 12.4%의 성장률을 보이며 2022년 164.9억 달러에 이를 것으로 전망된다.

코팅 부분은 방위 및 항공우주, 상업 분야에서 스마트 코팅을 점차적으로 채용함에 따라, 가장 높은 성장률(42.1%)를 보일 것으로 예측되며, 그 결과 2022년 71.2억 달러에 이를 것으로 보인다.

응용 분야	2015년	2016년	2017년	2018년	2019년	2020년	2021년	2022년	CAGR (%)
변환기	76.7	81.8	88.1	96.1	106.5	120.2	138.9	164.9	12.4
액추에이터, 모터	128.0	138.1	149.7	163.7	180.8	202	228.9	263	11.3
센서	51.6	57.7	65.1	74.4	86.4	102.2	123.7	153.9	17.8
구조재료	26.9	29.7	33.1	37.4	42.8	50	59.7	73.4	16.2
코팅재	6.4	8.6	11.8	16.2	22.7	32.4	47.3	71.2	42.1
합계	289.7	316.0	347.8	387.8	439.2	506.9	598.5	726.3	14.9

[표 3] 응용 분야별 스마트 소재 세계 시장 전망

이러한 스마트 소재를 구동하는 핵심 요인 중에서 노령 인구의 증가, 응용분야의 확대, 정부 정책/ 인센티브 제도, 스마트 소재 제품의 가격 저감, R&D 투자 증가 등은 긍정적인 요인으로 작용하고 있으며, 스마트 소재의 고비용 문제, 스마트 소재 사요의 이점에 대한 인식 부족은 부정적인 영향을 미칠 것으로 예상된다.

나) 스마트소재 기술 동향

세계 스마트 소재 시장의 주요 기업은 일본의 KYOCERA, TDK, 덴마크의 Noliac, 미국의 APC International, CTS, Channel Technologies Group, LORD, Advanced Cerametrics, Metglas, 독일의 CeramTech등이 있다.

이들 기업들은 제품 혁신과 함께 다양한 스마트 소재의 성장과 수요를 증가시키기 위해 R&D활동에 상당한 투자를 기울일 것으로 보이며 또한, 세계 시장 지배력과 이윤 증대를 위해 M&A에 집중할 것으로 예측된다.

2016년 5월 일본의 KYOCERA는 무정전 전원장치, 범용 인버터, 상업용 공조기, 서보 드라이버, 용접 기계, 전압 인버터 와 같은 산업에 응용하기 위한 고 신뢰성의 비용 효과적인 2-in-1, 6-in-1 다이오드 모듈을 출시했으며 덴마크의 Noliac은 Fuse Actuator Piezo Stacks를 선보이고 엑추에이터 생산 라인을 확장했다.

CTS는 2015년 자회사인 CTS Electronic Components를 통해서 최소 크기의 석영 결정인 Model 416을 출시하고, 그 주파수 제어 제품의 생산라인을 확장했는데, 본 제품은 마이크로 프로세서, 블루투스, 소형 최종 사용자 기기, 웨어러블 전자기기, 휴대용 기기 등의 조밀한 공간에 사용 가능할 뿐만 아니라 장기적 신뢰정과 정확성을 제공한다.

국내에서의 스마트 소재에 대한 연구개발은 대학(서울대, 인하대, 전북대, 부산대, 연세대, 경북대, 울산과학기술원, 성균관대, 중앙대, 한양대, 고려대, 포항공대, 충남대 등)과 연구소(한국과학기술원, 생산기술연구원, 한국과학기술연구원, 한국기계연구원, 전자통신연구원, 재료연구소 등)를 중심으로 비교적 활발히 진행되고 있는 편이다.

국내에서는 주로 센서, 액추에이터 용 스마트 소재와 에너지 저장용 탄소나노튜브 기반의 복합재료 연구가 수행되고 있다.

국내의 스마트 소재 관련 기업은, 형상기업합금 부문에서는 ㈜에스엠에이가 TiNi, TiNiNb, TiNiCu, TiNi계 형상기억합금을 개발하여 선재, 판재, 스프링, 링 등 형상의 제품을 제조하고 있으며, ㈜메타텍은 치과재료용 형상기억합금 제조 및 가공기술을 확보하고, 기능성 초전형 세라믹소자 및 초전형 적외선 센서의 국산화에 성공하여 생산 중에 있고, 강앤박 메디컬은 형상기억합금을 이용해 의료용 소재를 개발하고 제조 및 판매하고 있다.

1) 4D 스마트 설계 기술 및 프린터

4D 프린팅에서 스마트 소재와 함께 가장 중요한 요소 중 하나는 설계이다. 4D 프린팅 사물의 제작과정은 3D프린터를 이용한 제작과, 프린팅된 사물의 자기조립 혹은 자극반응을 통한 기능변화라는 두 단계 과정을 거쳐야한다, 그러므로 4D프린팅은 프린팅 될 사물의 설계와 더불어 최종변형 형상의 시뮬레이션을 필요로 한다.

4D 프린팅의 핵심은 프린팅된 2차원 혹은 3차원 구조물이 원하는 상황과 자극에 따라 다른 적절한 구조 및 기능을 가지도록 바뀌는 것이다. 4D 프린팅에서의 변형은 단순히 프린팅된 구조에서 스마트 소재가 변형되는 것을 반영할 수도 있고, 소재 변형에서 나아가 구조들 사이의 상호작용으로 더 복잡한 형상을 만들 수도 있다. 그러므로 4D 프린팅 사물을 설계하고 구현하는데 있어서는, 3D 프린팅된 구조뿐만 아니라 자극 반응시 변화될 형상을 예측하고 시뮬레이션할 수 있는 기술이 필수적이다.

이로인해 국내에서는, 4D 프린팅 시뮬레이터를 개발 및 연구 중 이면서, 4D 프린팅 과정에서 목표 구조물을 구현하기 위한 스마트 관절을 자동 배치 할 수 있는 자동 설계 방법을 제시하고, 제작된 구조물과 목표 형상의 유사성을 검증하였다. 반면 해외의 4D 프린팅 시뮬레이터의 경우 연성로봇의 디자인 및 시뮬레이션에 활용되고 있다. 소스코드가 공개되어 있는 오픈소스 소프트웨어이므로 필요에 따라 변형시켜 사용할 수 있다.

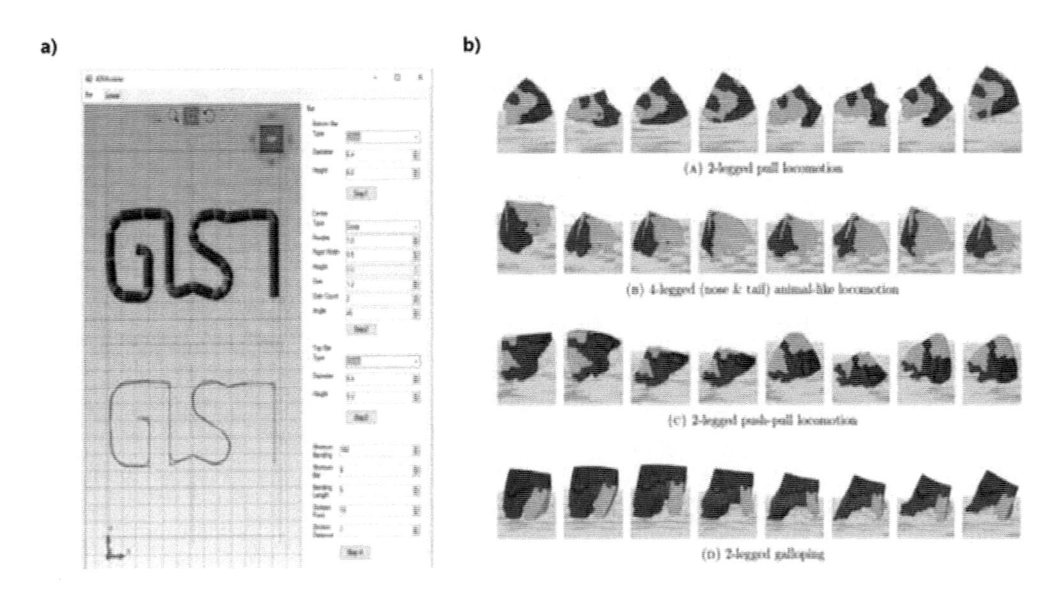

[그림 12] 4D 프린팅 시뮬레이터

나. 4D 프린팅 응용 분야[9)]

1) 의료 분야

현재 3D 프린팅을 통해 살아있는 세포를 출력하는 기술로 신경조직까지 만들 수 있는 경지에 이르렀다. 여기에 열, 공기 등 주변 환경 또는 자극에 스스로 모양을 변경하고, 제조할 수 있는 '자가변형기능'을 탑재한 4D 프린팅 기술이 새롭게 도입되고 있다. 4D 프린팅 기술을 접목할 경우 유연한 특징으로 최소한의 절개 후 인체 요소와의 반응을 통해 원하는 부위에 크기로 접합 가능해지는 것이다. 또한, 인공조직이나 장기, 치료기구의 크기가 체내 삽입 후에 커지도록 설계 시 몸을 절개하는 수술 절차도 뛰어넘을 수 있을 것으로 관측된다. 그리하여, 4D 프린팅을 통해 여상 데이터, 유전체 정보, 약물 반응 정보가 종합적으로 있는 칩을 만들어 약물 스크리닝 툴을 마련하고 개별 환자에 가장 적합한 치료제를 선별한다는 의미다. 한국전자통신연구원에 따르면, 산업이 돌아가게 하려면 공정, 부품, 소재, 응용, 장비까지 모두 연계돼야 하는 만큼 정부, 공공가관 역할이 중요하면서 미국뿐 아니라, 중국, 유럽, 대만, 인도까지도 허브 기관이 있는 상황에서 연구원에서는 미약하지만 플랫폼 시범사업을 시작으로 점차 플렉서블 일렉트로닉스에 대한 사업을 확대할 전망이라고 말했다.

예를 들면, 2015년 미국애서 4D프린팅 기술을 활용해 가관지를 다친 생후 5개월 된 아기를 치료하는데 성공한다. 형태를 바꿀 수 있는 플라스틱 '폴리카프로탁톤(PCL)' 을 프린터로 인쇄해 목에 대는 부목으로 사용했다. 부목은 아이가 자라면서 조금씩 커지고 기관지가 자리를 잡는 3년 후 엔 묵에 녹아 없어진다. 4D 프린팅 기술로 인해 여러 번의 수술을 받았어야 할 아이의 고통을 덜어줄 수 있었다.

2) 사회기반시설 분야

4D 프린팅 기술을 활용해 상하수도관 개발에 접목시킬 수 있는데, 특정 목적을 위해 상하수도관의 자가변환 기술을 통해 관을 확장하거나 축소 할 수 있다. 이를 통해 별도의 시간과 비용을 수반하지 않고 도시 계획의 목적에 따라 상하수도관 형태 변경이 가능해질 것으로 전망된다.

9) 4D 프린팅 /해시넷 위키

3) 자동차, 항공, 방위산업 분야

4D 프린팅 기술을 자동차 코팅부문에 활용하게 되면 다양한 주변환경의 변화에 맞게 변형 가능한 형태로 전환 가능하다. 즉, 환경의 변화에 맞게 차량 코팅부문이 변환 가능해 차량 외관 부식을 방지할 수 있으며 또한, 차량 부품 개발에도 4D 프린팅 기술을 활용한 재질을 활용해 유연성과 강도를 자유롭게 조절 가능한 제품을 생산할 수 있어, 제품 생산의 효율성을 향상시킬 것으로 예상된다.

항공 분야는 4D 프린팅 기술을 활용할 수 있는 분야가 다양할 것으로 예상되는데, 예를 들면, 항공기의 외부 손상이 감지될 경우, 자가 수선이 가능할 것으로 전망된다.

군사방위 분야에서는 4D 프린팅 기술을 군복 재질에 접목시켜 외부로부터 비춰오는 빛을 군복에서 굴절시켜 적으로부터 은폐를 할 수 있는 군복을 개발중이다. 또한, 탱크와 군용 트럭 외관 제조 시 4D 프린팅 기술을 활용해 성능을 획기적으로 향상시킬 수 있을 것으로 전망된다.

4) 제조 및 패키징, 내구소비재 분야

제품 운반 후 목적지에서 4D 프린팅 기술을 활용해 자가변환이 가능한 제품을 개발해 제품 운송비용과 인건비를 획기적으로 줄일 수 있으며, 이를 활용한 가전용 내구 소비재 제품 개발로 가정에서 공간의 제약으로 인한 불편함을 최소화할 수 있다.

3. 4D프린팅시장동향

3. 4D 프린팅 시장[10)11)]

4D 프린팅 시장은 최종소비자(END-USER)산업으로 세분화 될 수 있으며, 국방, 항공우주, 건설, 헬스케어, 자동차, 의류 및 공공기술에 활용되고 있다. 산업별로 4D 프린팅 활용을 타임라인으로 살펴보면 2020년에는 건설, 헬스케어, 2021년까지는 자동차, 의료, 공공기술, 2019년에는 항공우주, 국방산업에 적용될 것으로 분석된다.

4D 프린팅 기술의 응용 분야

4D PRINTING MARKET BY END-USER INDUSTRY

Aerospace | Automotive | Clothing | Construction | Defense and Military | Healthcare | Utilities

Automotive, Clothing, Utility 2021

Construction, Healthcare 2020

Aerospace, Defense & Military 2019

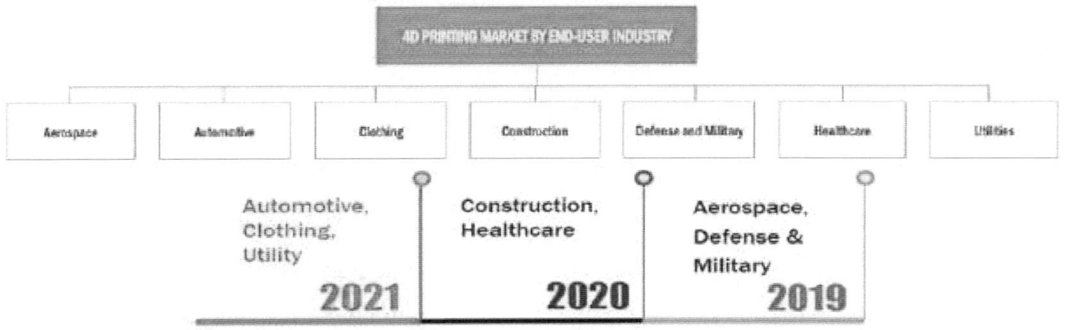

자료: Markets and Markets(2015)

[그림 14] 4D 프린팅 기술의 응용 분야

Frost&Sullivan은 4D 프린팅이 소비재 중에서 패션과 생활용품 시장에 가장 먼저 영향을 줄 것으로 예상했고, 이어서 가정용 가전제품에 영향을 줄 것으로 전망했다. 특히, 전기전자부품 중에서는 일명 스마트센서(Smart Sensors) 개발에 기여할 것이고 궁극적으로 적응형 센서(Adaptive Sensors) 개발에 일조할 것으로 내다보았다. 또한, 산업용 시장에서는 보건의료산업의 인공생체조직(Artificial Tissue)와 바이오 프린트(Bio Prints), 인공생체기관(Artificial Organ)을 중심으로 빌딩건설 재료(ex, 파이프)와 각종 기계장치와 도구, 자동차 바디 등에 이용될 것으로 전망된다.

올 더 리서치에 따르면, 세계 4D프린팅 시장규모는 지난해 6,510만 달러 수준으로, 오는 2027년 말 까지 CAGR 42.1%를 기록하며 4억8,920만 달러 수준에 전망된다.

또한, 최종소비자(END-USER) 산업별 4D 프린팅 시장 규모를 살펴보면 항공산업의 경우 2019년에는 28.4백만 달러에서 연평균 34.2% 성장하여 2025년에는 165.9백만 달러, 자동차 산업의 경우에는 2021년 11.3백만 달러에서 연평균 20.2% 성장하여 2025년에는 23.6백만 달러에 이를 것으로 전망된다.

10) 4D 프린터, 3D 프린터를 넘어선 새로운 시장기회, 디지털밸리뉴스, 2017.08.07
11) 끝없는 기술의 혁신, 3D 프린팅을 넘어 4D 프린팅으로, 조태일, Kotra, 2016.11.24

4D 프린터 세계 시장 규모

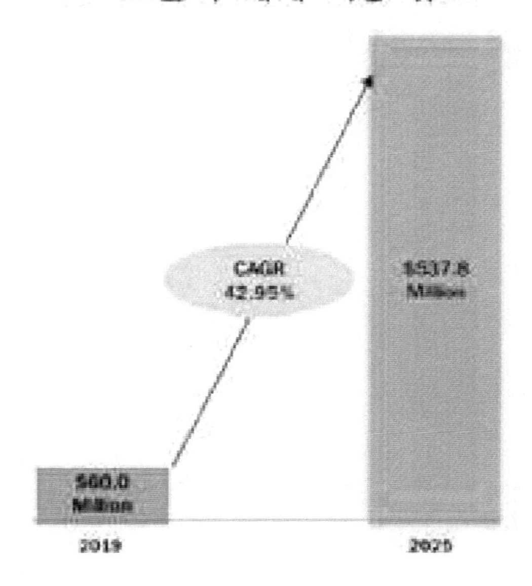

[그림 15] 4D 프린터 세계 시장 규모

End-User Industry	2019	2020	2021	2022	2023	2025	CAGR (2019-2025)
Aerospace	28.4	38.1	51.1	68.6	92.1	165.9	34.23%
Automotive	-	-	11.3	13.6	16.3	23.6	20.20%
Clothing	-	-	8.7	10.0	11.5	15.3	15.21%
Construction	-	14.0	18.3	24.0	31.5	54.0	31.00%
Defense&Military	34.7	47.6	65.2	89.5	122.8	231.1	37.19%
Healthcare	-	9.3	11.5	14.1	17.4	26.3	23.12%
Utility	-	-	8.2	10.4	13.3	21.6	27.41%

Note: construction and healthcare industry are expected to adopt 4D printing technology in 2020 while clothing, automobile and utility industries are expected to adopt 4D printing technology in 2021. Hence, CAGR in above table represents the growth rate from respective year of adoption for respective end-user industry. CAGR for aerospace and defense & military is from 2019 to 2024.

Source: Secondary Literature, Expert interviews, and MarketandMarkets Analysis

[표 4] 최종소비자(End-User) 산업별 4D 프린팅 시장 (단위: 백만 달러)

국가별로 4D 프린팅 시장을 예측하면 북미 시장은 2019년 26.6백만 달러에서 2025년 230.5백만 달러로 CAGR 43.3%으로 성장할 것으로 분석되며, 아시아-태평양 시장이 2019년 14.1백만 달러에서 2025년 172.6백만 달러로 CAGR 51.8% 가장 높은 성장률을 보이고 있다.

국가별 4D 프린팅 시장

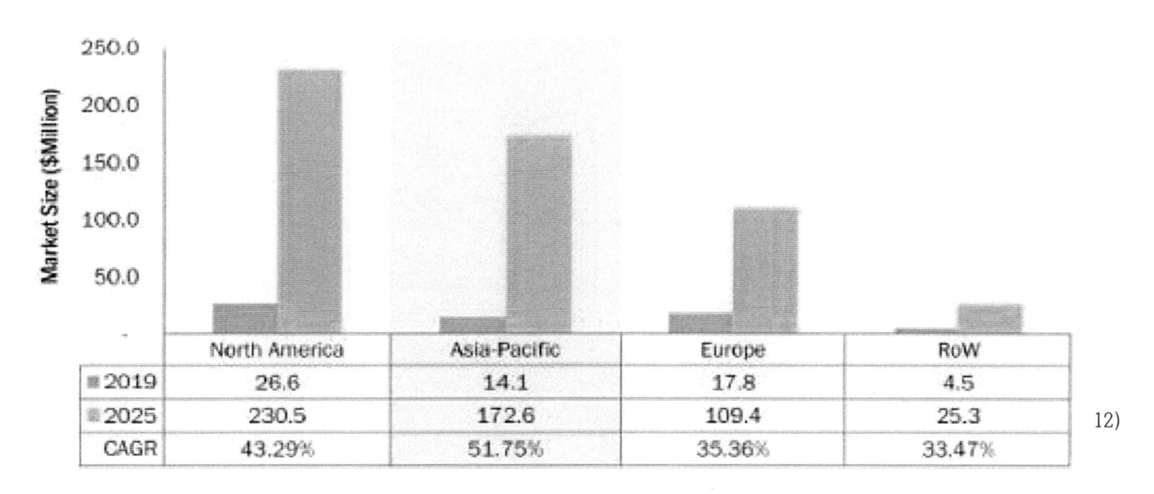

	North America	Asia-Pacific	Europe	RoW
2019	26.6	14.1	17.8	4.5
2025	230.5	172.6	109.4	25.3
CAGR	43.29%	51.75%	35.36%	33.47%

12)

[그림 16] 국가별 4D 프린팅 시장

12) Source: Secondary Literature, Expert interviews, and MarketandMarkets Analysis

4. 4D프린팅 기술동향

4. 4D 프린팅 기술동향

4D인쇄 기술 보고서에 따르면, 4D 프린팅 기술 플레이어 간의 경쟁 시장 시나리오는 업계 야심 찬 사람들이 전략을 계획하는 데 도움이 될 것이다. 이로인해 4D프린팅의 활용도가 점차 증가 할 것으로 전망된다.

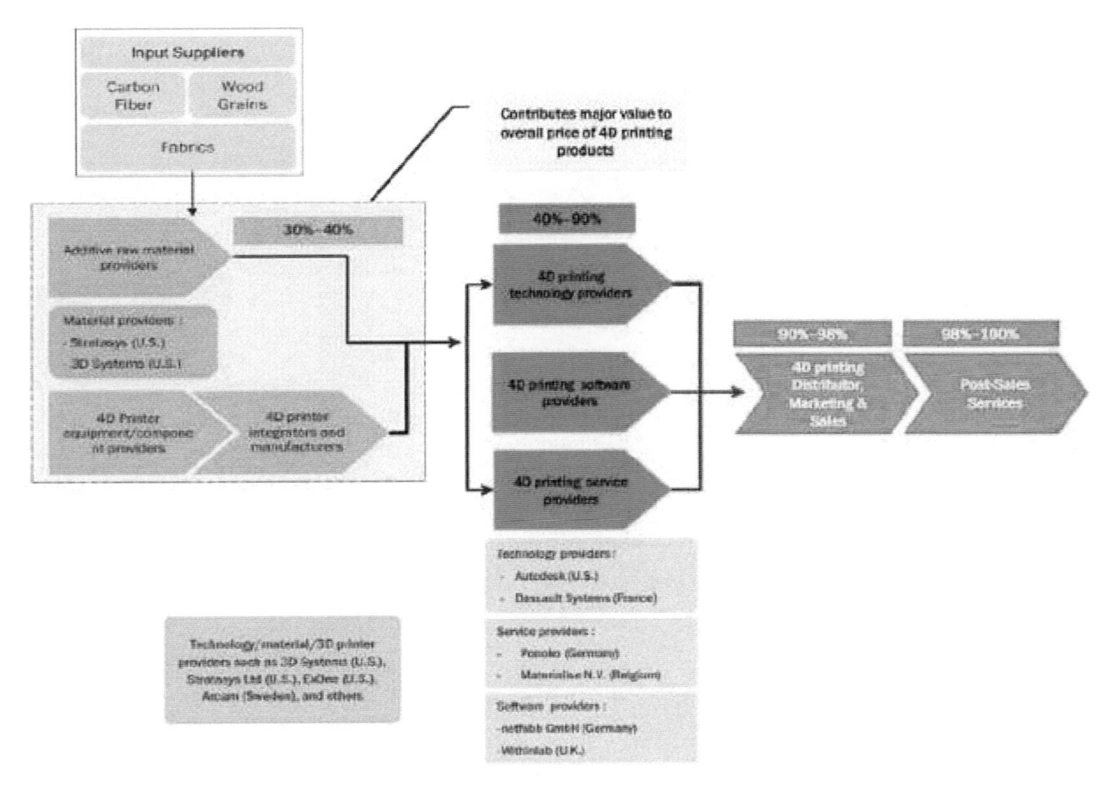

[그림 18] 4D 프린팅 산업의 가치사슬

4D 프린팅 산업의 가치사슬은 최종소비자와 4D 프린터 제조업체, 4D 프린터용 재료 공급업체, 4D 프린팅 설계소프트웨어 업체로 구성된다. 4D 프린팅 최종소비자는 개인고객에서부터 군수 산업, 자동차 산업, 항공기 산업 등의 기업고객까지 다양하다. 4D 프린터 제조업체는 최종소비자가 원하는 4D 프린팅 작업을 수행할 수 있는 4D 프린터를 개발하고 제조해서 판매하는 역할을 담당하며, 대표적인 회사로는 Stratasys(U.S.)가 있다. 4D 프린팅용 재료 제공업체는 4D 프린팅에 사용할 재료를 개발하고 양산하는 역할을 담당하며, 대표적인 회사로는 3D 프린팅 서비스업체인 i.materialise가 있다.

4D 프린팅 설계소프트웨어 제공업체는 Massachusetts Institute of Technology, Hewlett Packard Corporation, Autodesk Inc, Stratasys Ltd, ARC Center of Excellence for Electromaterials Science(ACES), Exone Corporation, Nervous System등이 있다.

가. 4D 프린팅 특허 현황

1) 4D 프린팅 장치와 4D 프린팅을 이용한 특허

1	듀얼 노즐을 사용하는 4D 프린팅 장치
출원인	숭실대학교산학협력단
출원일	2017.05.23
등록일	2018.07.30

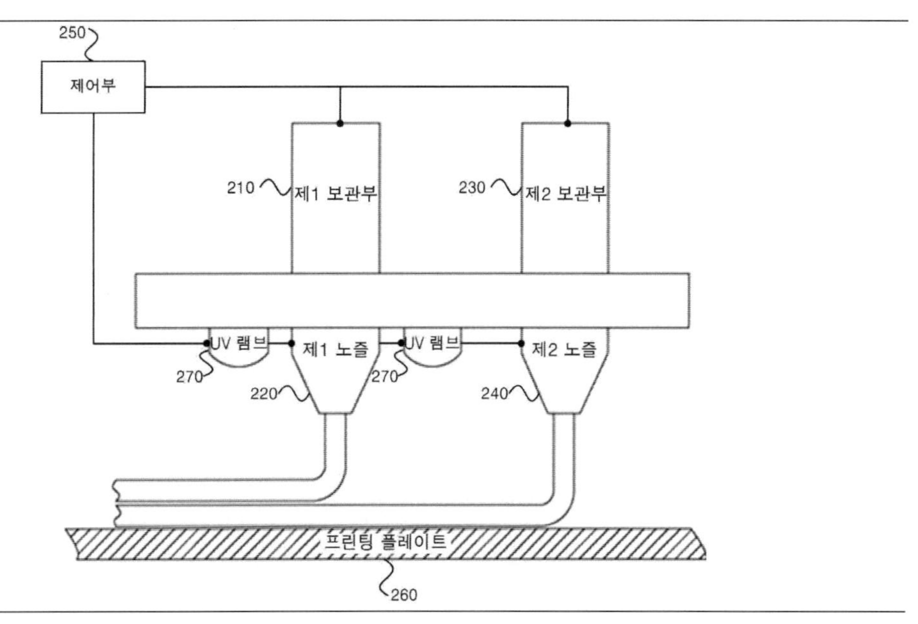

요약

4D 프린팅 장치가 개시된다. 개시된 4D 프린팅 장치는, 3D 프린팅 방식 A을 기초로 제1 재료를 출력하는 제1 노즐; 및 3D 프린팅 방식 B를 기초로 제2 재료를 출력하는 제2 노즐;을 포함한다.

2	스텐트 및 스텐트의 제조방법

출원인 광주과학기술원

출원일 2015.10.28

등록일 2018.03.28

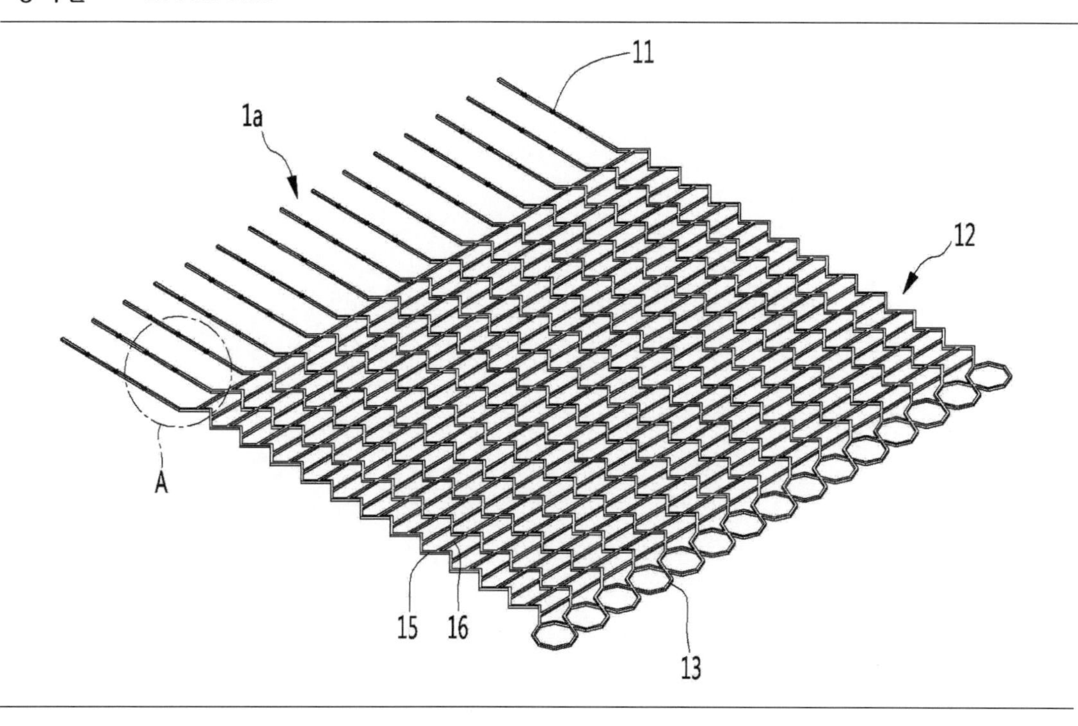

요약

본 발명에 따른 스텐트에는, 말려서 관 형상을 유지하는 몸통부; 상기 몸통부의 일단에 제공되는 제 1 걸림부; 및 상기 몸통부의 타단에 제공되고 상기 제 1 걸림부가 걸려서 지지되는 제 2 걸림부가 포함된다. 본 발명에 따르면, 4D 프린팅 공법에 의해서 스텐트를 제조할 수 있다. 이에 따라서, 자동화된 공정으로 저렴하고, 신속하고, 간단하고 장소의 제약이 없이 스텐트를 제조할 수 있다.

3 4D 프린팅 어셈블리 구조물

출원인 광주과학기술원

출원일 2016.04.18

등록일 2017.06.14

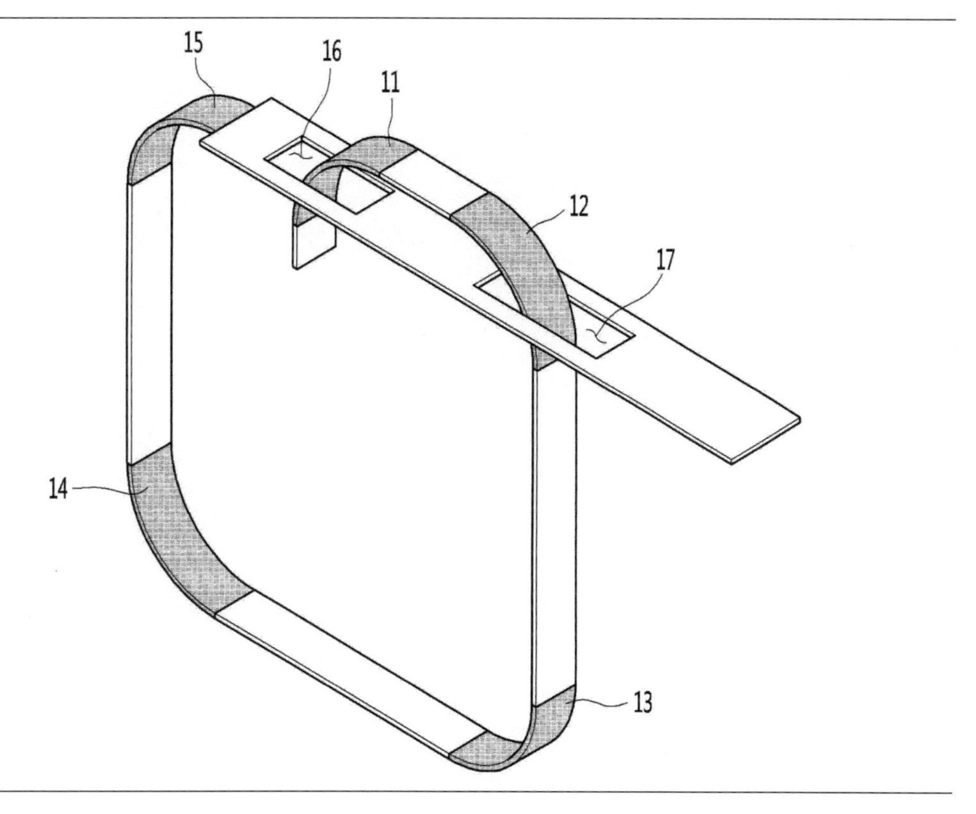

요약

실시예는 시간의 흐름에 따라 구조물의 모양이 변하는 4D 프린팅 어셈블리 구조물로서, 일체형으로 연장 형성되며 4D 프린터로 특정 부분이 변형되도록 디자인된 직선 구조의 프레임 및 상기 프레임 사이사이에 마련되며 시간의 흐름에 따라 변형이 일어나는 복수개의 관절부를 포함하고, 상기 관절부는 서로 상이한 열전도율을 가지도록 설정될 수 있다. 따라서, 4D 프린팅에 적용되는 구조물에 국부적으로 환경을 변화시키지 않고 동일한 열량을 가해주어도 사용자가 원하는 형상으로의 조립 및 변형이 이루어질 수 있다.

2) 스마트소재

가) 형상기억고분자

1	광가교가 가능한 형상기억고분자 및 이의 제조방법
출원인	연세대 산학협력단
출원일	2017.04.04
등록일	2018.10.02

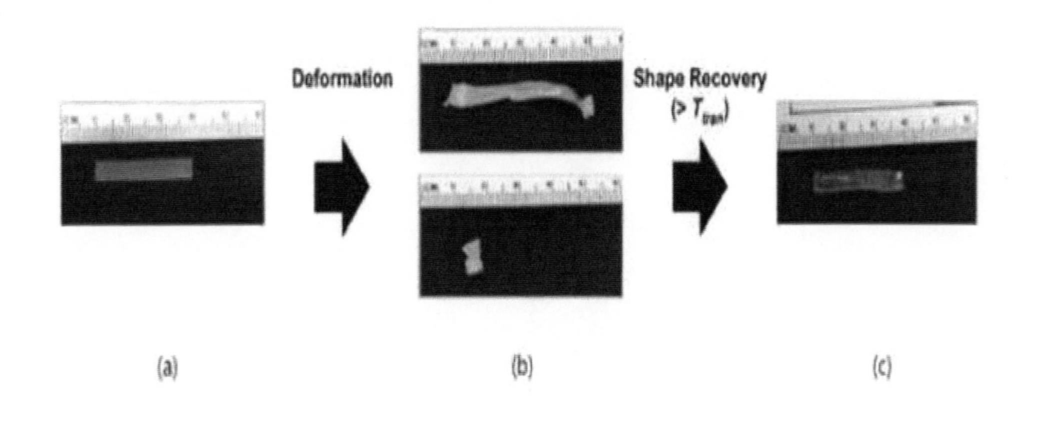

요약

본 발명은 광가교가 가능한 형상기억고분자 및 이의 제조방법에 관한 것이다.

본 발명의 일 실시예에 따른 형상기억 고분자는 광가교가 가능한 기능기를 포함함으로써, 생리의학 응용기구에 적합한 융점을 갖는 형상기억고분자를 제공할 수 있다. 특히, 본 발명의 일 실시예에 따른 형상기억 고분자의 제조방법은 형상기억고분자의 합성시 두 모노머(CL, GMA)의 동시 개환중합을 유도하기 위한 촉매를 사용함으로써, 형상기억 고분자의 합성시간을 단축시킬 수 있는 효과가 있으며, CL과 GMA의 도입량 조절에 따른 다양한 융점을 갖는 형상기억고분자를 용이하게 제조할 수 있는 효과가 있다.

2	3중 형상기억특성을 갖는 바이오 나일론, 및 그 제조 방법

출원인 한양대학교 에리카산학협력단

출원일 2015.08.31

등록일 2018.04.30

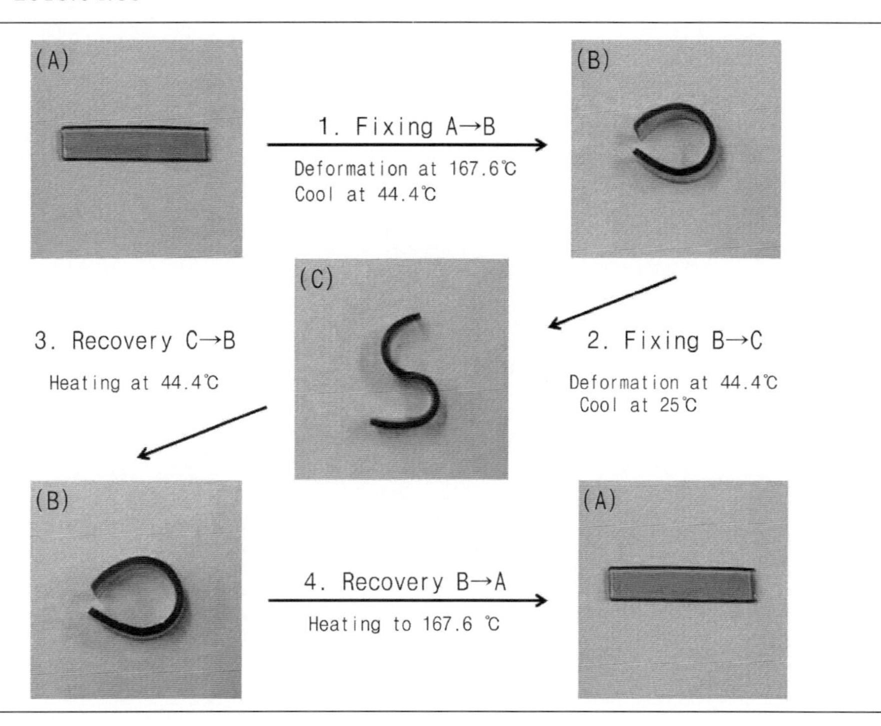

요약

이타콘산(itaconic acid)과 디아민(diamine)으로 바이오매스 유래 피롤리돈기 함유 아미노산(amino acid)을 생성하는 단계, 및 상기 피롤리돈기 함유 아미노산(amino acid)과 상기 α,ω-지방족 아미노산(aliphatic amino acid)을 반응시켜 아래의 [화학식 1]로 도시된 나일론 공중합체(nylon copolymer)를 생성하는 단계를 포함하는 3중 형상기억특성을 갖는 나일론의 제조 방법을 제공한다. 이로 인해, 두 단계에 걸쳐 형상의 변형, 고정, 및 복원이 가능하고, 반응물질의 함량을 조절함으로써, 원하는 수준으로의 형상복원온도 제어가 가능한 3중 형상기억특성을 갖는 바이오 나일론이 제공될 수 있다.

3	형상 기억 고분자를 이용한 텍스타일 기반의 마찰전기 에너지 발전 소자

출원인 성균관대학교산학협력단

출원일 2016.08.09

등록일 2018.07.13

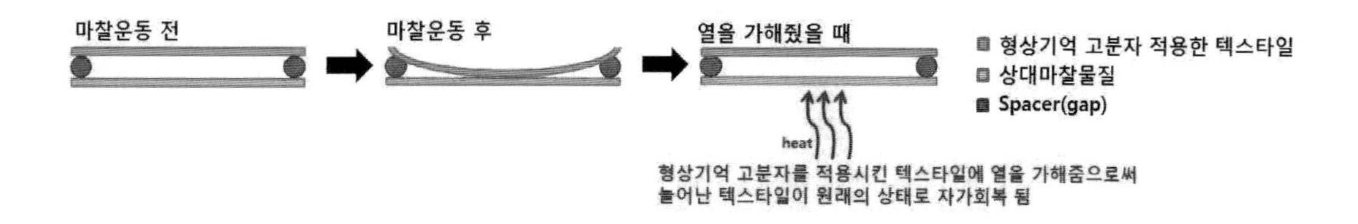

요약

본 발명은 형상 기억 고분자를 이용한 텍스타일 기반의 마찰전기 에너지 발전 소자에 관한 것이다.

본 발명의 제 1 실시예에 따른 형상 기억 고분자를 이용한 텍스타일 기반의 마찰전기 에너지 발전 소자는, 제 1 텍스타일; 및 제 2 텍스타일을 포함하고, 상기 제 1 텍스타일 및 상기 제 2 텍스타일 중 어느 하나 이상은 외부에 형상 기억 고분자가 코팅된 전도성 실(yarn)로 직조되었으며, 상기 제 1 텍스타일 및 상기 제 2 텍스타일이 서로 접촉에 의한 마찰이 가능하도록 이격 배치되고, 상기 제 1 텍스타일 및 상기 제 2 텍스타일의 마찰에 의한 마찰 전기 발생이 가능하며, 상기 텍스타일들 중 외부에 형상 기억 고분자가 코팅된 전도성 실로 직조된 텍스타일에 상기 형상 기억 고분자의 유리 온도 이상의 열을 가해줌으로써 상기 텍스타일이 자가 회복 가능하다.

4	형상기억 고분자 마이크로니들 혈관 문합 장치

출원인 주식회사 퓨처바이오웍스

출원일 2017.02.17

등록일 2017.06.12

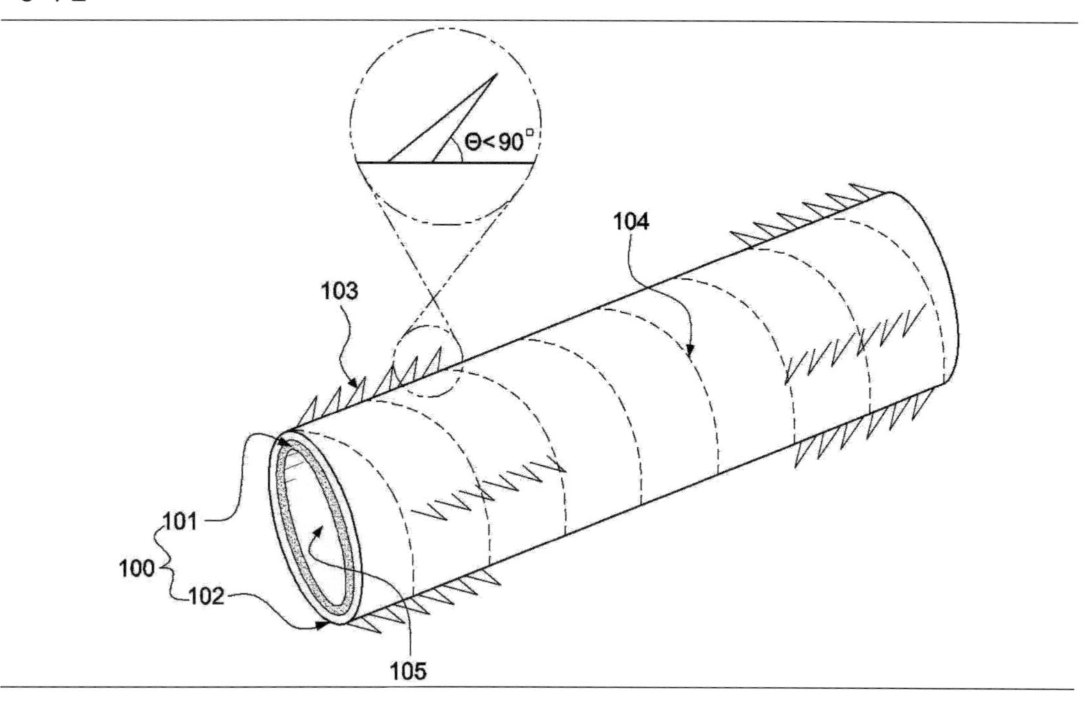

요약

본 발명은 형상기억 고분자 마이크로니들 혈관 문합 장치에 관한 것으로, 더욱 상세하게는 온도 변화 또는 수분 흡수에 의해 형태가 변형되며 인체 내에서 분해되어 흡수가 가능한 생분해성 형상기억 고분자를 이용하여, 절단된 혈관 내에 삽입될 수 있도록 튜브(tube) 형상으로 형성되되, 혈관 내부로 삽입되는 상기 튜브 형상으로 형성된 몸체 양측의 외주면을 따라 마이크로니들(micro-needle)이 형성되어 있어, 삽입되는 혈관의 내경에 따라 적절한 크기로 변형 가능하며, 혈관 내부에 견고하게 고정되어 절단된 혈관의 단부를 문합할 수 있도록 구성되는 형상기억 고분자 마이크로니들 혈관 문합 장치에 관한 것이다.

5 자가 응답 특성 고분자 소재에 의한 능동 제어 섬유

출원인 더인터맥스(주)

출원일 2014.07.10

등록일 2016.02.17

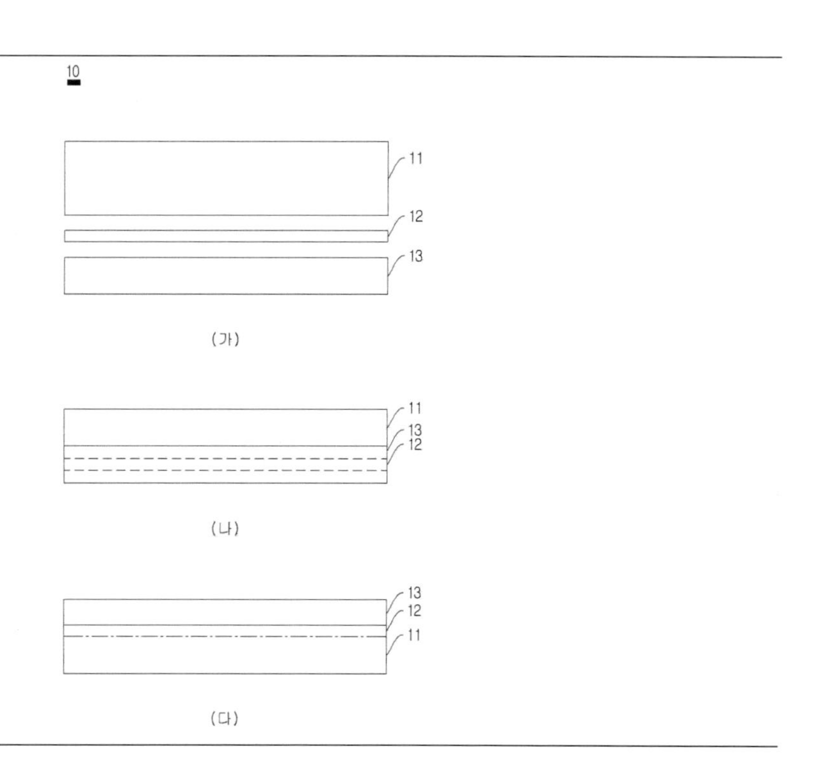

요약

본 발명은 자가 응답 특성 고분자 소재에 의한 능동 제어 섬유에 관한 것이고, 구체적으로 형상 기억 고분자와 같은 자가 응답 특성 고분자 소재에 의하여 외부 기온 변화에 따라 또는 선택에 의하여 능동적으로 섬유의 물리적 특성이 제어될 수 있도록 하는 자가 응답 특성 고분자 소재에 의한 능동 제어 섬유에 관한 것이다. 자가 응답 특성 고분자 소재에 의한 능동 제어 섬유는 기재 층(11); 자가 응답 특성 고분자 소재 및 상기 자가 응답 특성 고분자와 서로 다른 열 변형 특성을 가진 충전 소재로 이루어진 조절 층(13); 및

조절 층(13)의 조절을 위한 조건을 형성하는 제어 층(12)을 포함하고, 상기 제어 층(12)의 조건은 외부 조건의 탐지에 따른 작동 테이블(12)에 의하여 결정된다.

6	형상 기억 생체 흡수성 고분자 소재를 이용한 의료용 매선로프 제조방법 및 그 제조장치와 그 제품

출원인 정찬희, 정홍우, 박래경

출원일 2014.10.15

등록일 2016.09.02

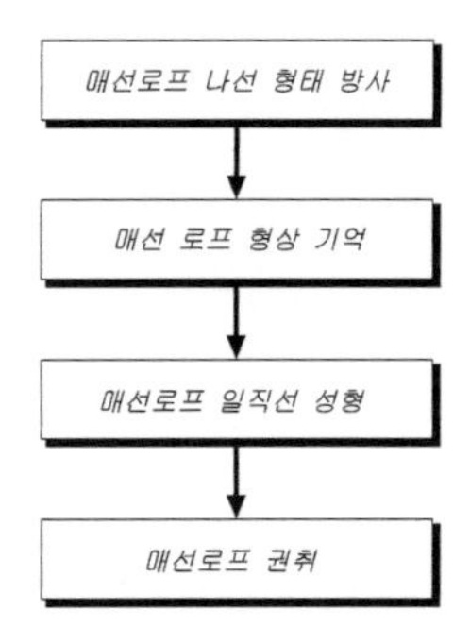

요약

본 발명은 형상 기억 생체 흡수성 고분자 소재를 이용한 의료용 매선로프 제조방법 및 그 제조장치와 그 제품에 관한 것으로서, 형상 기억이 가능한 생체 흡수성 고분자 소재를 용융시켜 방사기(10)를 이용해 노즐헤드(101)에 형성된 방사구(101a) 형상으로 방사하여 매선로프(A)를 성형하는 단계와; 상기 성형 후 형상기억수단(20)을 이용해 나선 형상을 형상기억시킨 매선로프(A)를 롤로더(30)를 이용해 강제로 당기면서 일직선으로 펴주는 단계와; 상기 일직선으로 펴진 매선로프(A)를 권취수단(40)으로 권취하는 단계를 포함하여 제조방법을 구성하고, 상기 제조방법을 수행하기 위하여 형상 기억이 가능한 생체 흡수성 고분자 소재를 용융시켜 방사하는 방사기(10)와; 매선로프(A)를 냉각하는 냉각수단(20)과; 매선로프(A)를 일직선으로 펴주는 롤로더(30)와; 매선로프(A)를 권취하는 권취수단(40)을 포함하는 제조장치를 구성함으로써 피부조직(S) 내 투입이 용이하고, 피부조직(S) 내 투입 후 형상기억 기능에 의한 형상 복원에 의해 피부조직(S)과의 우수한 결합력과 더욱 향상된 피부조직의 리프팅 효과를 발휘하는 매선로프(A)를 제조할 수 있다.

7 형상 기억 고분자를 포함하는 자가 복원 나노패턴 구조물 및 이의 제조방법

출원인 단국대학교 산학협력단

출원일 2012.11.26

등록일 2014.10.13

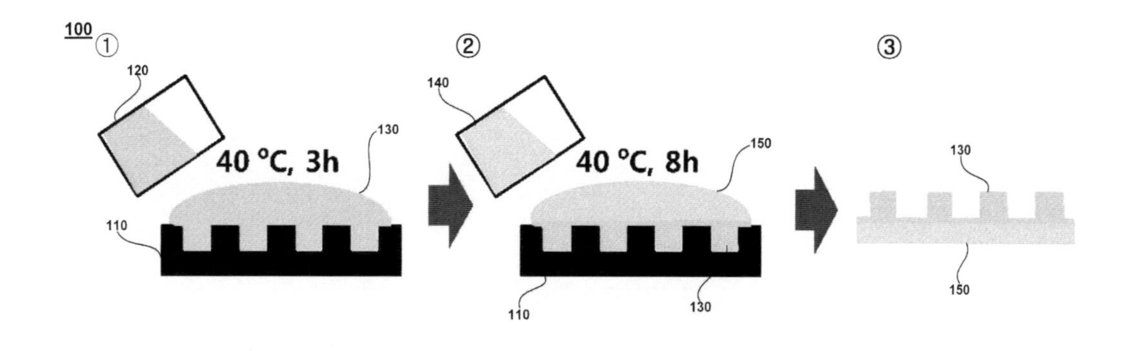

요약

본 발명은 형상 기억 고분자를 포함하는 자가 복원 나노패턴 구조물 및 이의 제조방법에 관한 것으로, 더 자세하게는 형상 기억 고분자 및 풀러렌(fullerene) 혼합용액을 이용하여 캐스팅 나노임프린트 방법을 통해 제조된 열 또는 자외선 흡수를 통해 자가 형상 복원할 수 있는 장기 내구력이 우수한 자가 복원 나노패턴 구조물 및 이의 제조방법에 관한 것이다. 이에 따른, 자가 복원 나노패턴 구조물은 형상 기억 고분자를 포함함으로써 외부 충격에 의해 변형되어도 자가 형상 복원할 수 있어 장기 내구력을 갖는 효과가 있으며, 풀러렌을 포함함으로써 별도의 공정처리 없이 자외선 노출에 의한 자외선 흡수를 통해 자가 형상 복원할 수 있다.

또한, 용매를 이용한 캐스팅 나노임프린팅 방법을 통하여 투명 나노패턴 구조물을 제조할 수 있어, 디스플레이 또는 외장재 등의 산업에 적용할 수 있다.

8	형상기억 고분자를 이용한 결합체 및 이의 제조방법

출원인 서울대학교산학협력단

출원일 2012.12.24

등록일 2014.05.07

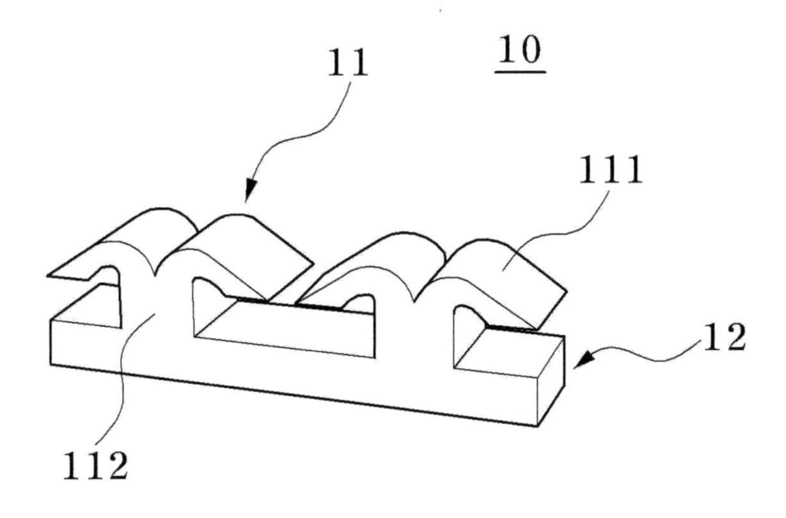

요약

본 발명은 형상기억 고분자를 이용한 결합체 및 이의 제조방법에 관한 것으로서, 형상기억 고분자를 초소형 로봇의 부품을 결합하기 위한 결합요소로 제조하되, 형상기억 고분자의 열 변형을 최소화하고 정밀한 부품 가공을 수행하기 위하여 레이저 가공을 이용해 평판 형상의 형상기억 고분자를 원하는 형상의 결합요소로 용이하게 제조할 수 있는 형상기억 고분자를 이용한 결합체 및 이의 제조방법에 관한 것이다.

나) 형상기억합금

1	형상기억합금을 이용한 커플링장치
출원인	현대다이모스(주)
출원일	2012.11.28
등록일	2014.06.09

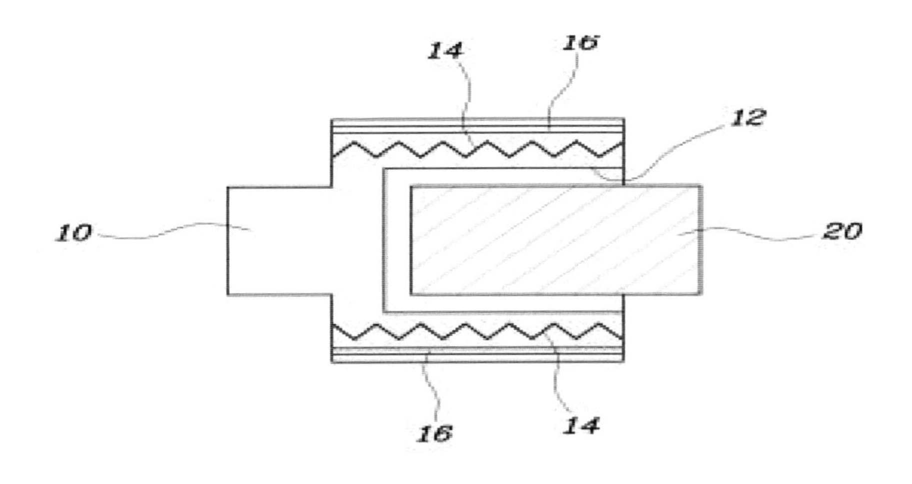

요약

본 발명은 형상기억합금으로 형성되며, 몸체에 열이 가해지되, 상기 열에 의한 온도 변화에 따라 팽창 또는 수축되는 재1축 및 상기 제1축과 끼워지며, 상기 제1축과 압박 상태로 면접촉 되어 연결되고, 상기 제1축의 수축시 제1축과 이격되어 연결이 해제되는 제2축을 포함하여 구성되는 형상기억합금을 이용한 커플링 장치가 소개된다.

2 인공근육모듈, 인공근육모듈의 제작방법 및 인공근육모듈 제어시스템

출원인 한국기계연구원

출원일 2016.05.17

등록일 2018.02.05

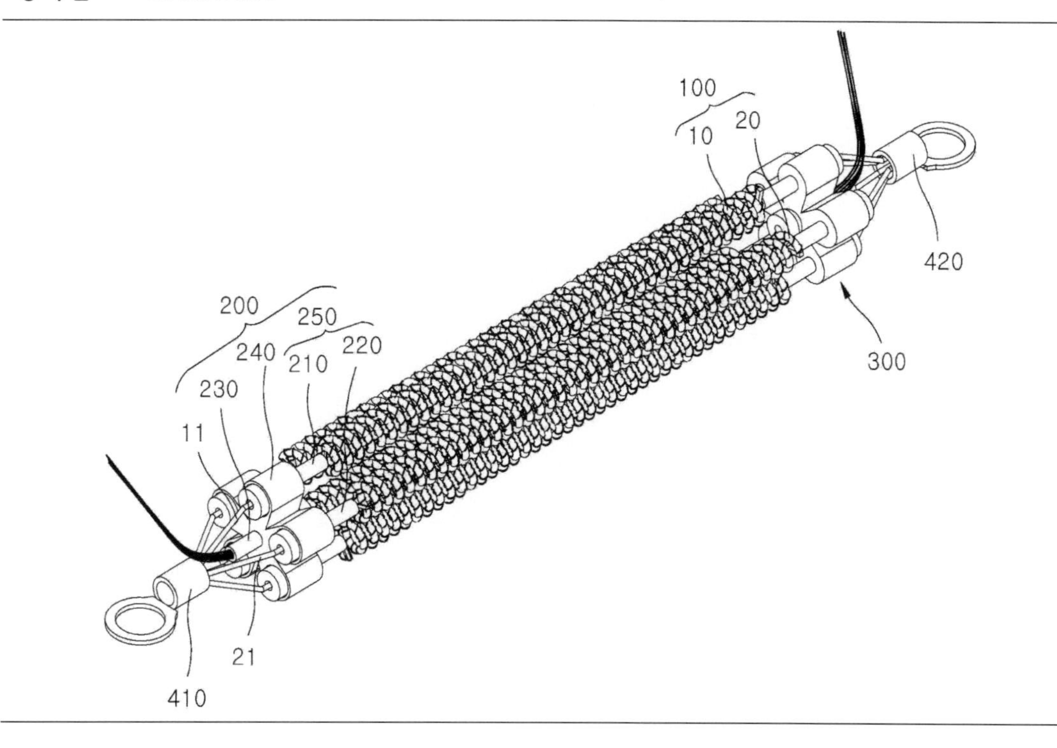

요약

본 발명은 빠른 응답성을 가지고 큰 힘을 낼 수 있으면서도 강성을 향상시킬 수 있는 인공근육모듈, 인공근육모듈의 제작방법 및 인공근육모듈 제어시스템에 관한 것이다.

이를 위해, 본 발명은 열에 반응하면서 형상이 가변되는 제1 형상기억합금 스프링과, 상기 제1 형상기억합금 스프링과 이웃하게 배치되는 제2 형상기억합금 스프링을 갖는 스프링집합체를 포함하며, 상기 제1 형상기억합금 스프링은 형상기억합금 재질로 제작되는 제1 와이어부재와, 상기 제1 와이어부재에 열을 공급하기 위한 제1 저항선과, 상기 제1 와이어부재와 상기 제1 저항선 사이에 배치되어 상기 제1 와이어부재와 상기 제1 저항선을 전기적으로 절연시키는 제1 절연부재를 포함하는 것을 특징으로 하는 인공근육모듈, 인공근육모듈의 제작방법 및 인공근육모듈 제어시스템을 제공한다.

3 미세공극 내 약물저장형 생분해성 스텐트

출원인 주식회사 엠아이텍

출원일 2016.08.24

등록일 2018.01.22

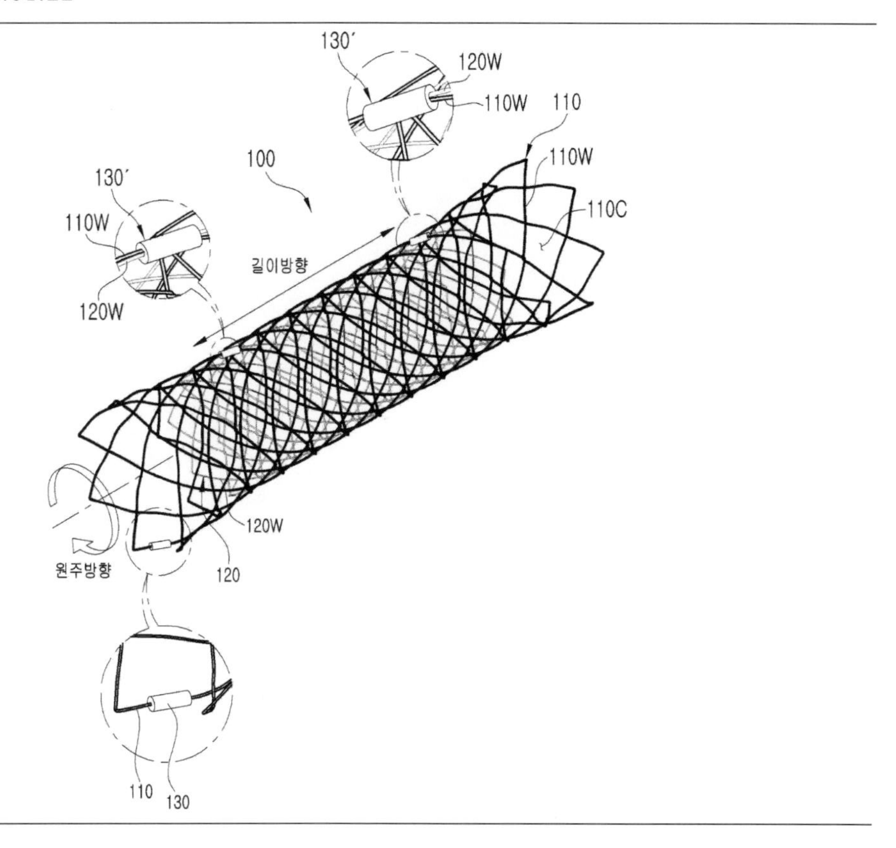

요약

본 발명은 미세공극 내 약물저장형 생분해성 스텐트에 관한 것으로, 형상기억합금 소재의 금속와이어가 지그 상에 특정 패턴으로 엮임으로써, 엮임 구조상의 와이어 교차 형태에 의해 다수의 셀(Cell)을 구비하며 중공의 통 형상으로 마련되는 제1스텐트 구조체; 및 생분해성 고분자를 포함하는 인쇄재료를 이용해 3D 프린팅을 수행하여 프린팅 구조상의 와이어 교차 형태에 의해 다수의 셀(Cell)을 구비하며, 표면 전반에 걸쳐 다수의 약물저장용 미세공극이 형성되며, 중공의 통 형상을 갖추도록 마련되는 3D 인쇄물로서, 상기 제1스텐트 구조체의 외주면을 덮거나 상기 제1스텐트 구조체에 의해 외주면이 덮이도록 설치되는 제2스텐트 구조체;를 포함하며, 상기 제2스텐트 구조체는 3D 프린팅 후 표면상에 약물 코팅 처리공정을 거쳐 상기 다수의 약물저장용 미세공극 내에 약물이 저장된다.

4	약물 방출형 융합성 스텐트
출원인	주식회사 엠아이텍 연세대학교 산학협력단
출원일	2016.07.01
등록일	2018.01.22

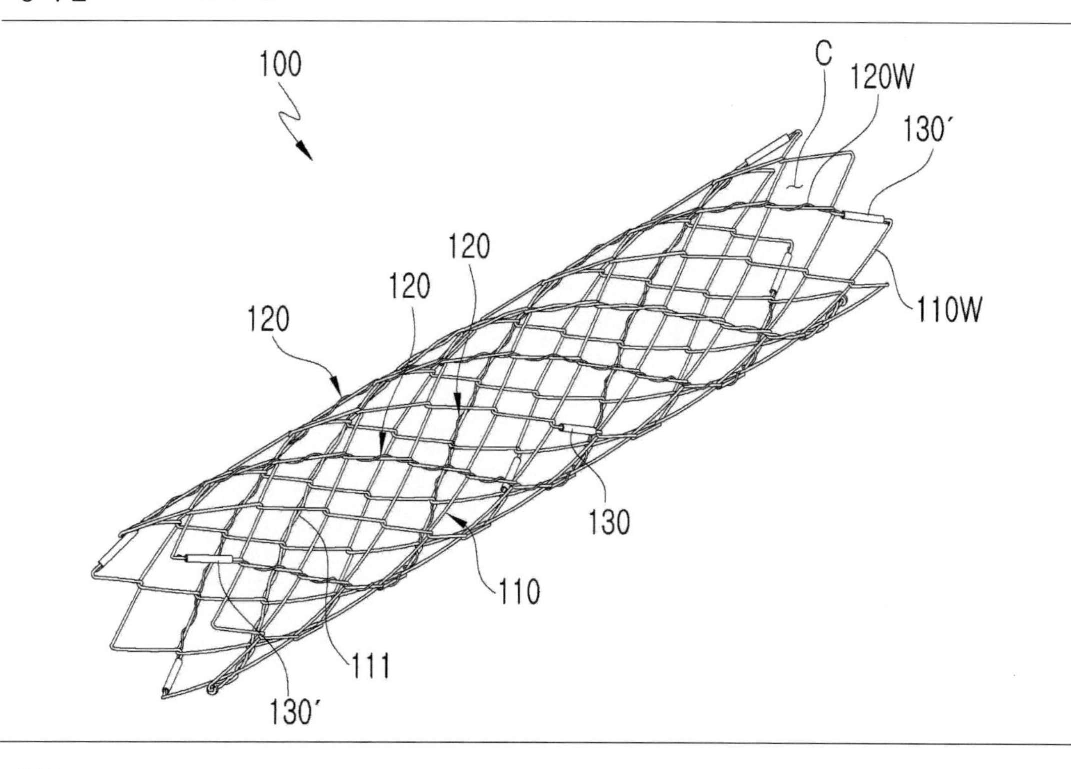

요약

본 발명은 약물 방출형 융합성 스텐트에 관한 것으로, 형상기억합금 소재의 금속와이어가 와이어 간 교차에 의해 다수의 셀(Cell)을 형성하며 중공의 통 형상을 갖추도록 엮임에 따라 마련되는 제1와이어 구조체; 및 상기 제1와이어 구조체를 형성하는 금속와이어의 외주면 상에 생분해성 와이어가 상기 제1와이어 구조체의 일단에서부터 상기 제1와이어 구조체의 타단에 이르기까지 감겨 이동함에 따라 마련되는 적어도 하나 이상의 제2와이어 구조체;를 포함하며, 상기 제2와이어 구조체를 형성하는 생분해성 와이어는, 생분해성 고분자로 이루어지 와이어 몸체; 및 상기 와이어 몸체 외주면 상에 생분해성 고분자 및 약물이 혼합된 혼합물이 코팅 처리되어 마련되는 코팅층;을 포함한다.

5	약물방출형 생분해성 스텐트

출원인 주식회사 엠아이텍

출원일 2016.08.24

등록일 2018.01.18

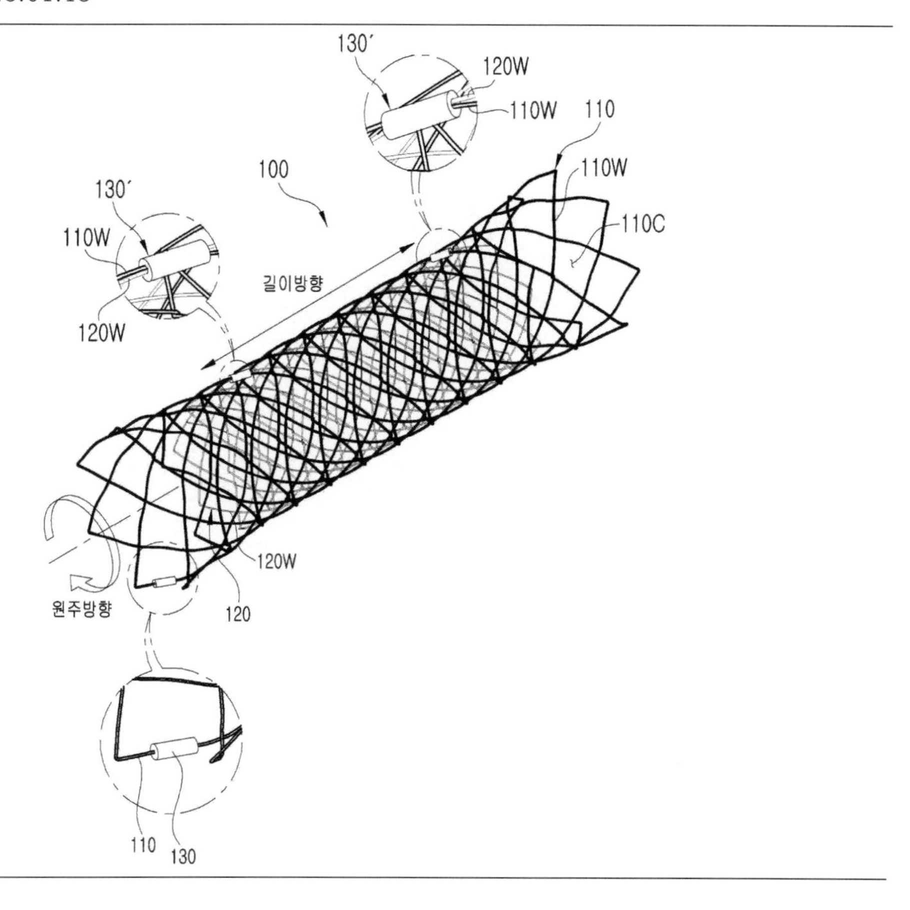

요약

본 발명은 약물방출형 생분해성 스텐트에 관한 것으로, 형상기억합금 소재의 금속와이어가 지그 상에 특정 패턴으로 엮임으로써, 엮임 구조상의 와이어 교차 형태에 의해 다수의 셀(Cell)을 구비하며 중공의 통 형상으로 마련되는 제1스텐트 구조체; 및 생분해성 고분자 및 약물을 포함하는 인쇄재료를 이용해 3D 프린팅을 수행하여 프린팅 구조상의 와이어 교차 형태에 의해 다수의 셀(Cell)을 구비하며 중공의 통 형상을 갖추도록 마련되는 3D 인쇄물로서, 상기 제1스텐트 구조체의 외주면을 덮거나 상기 제1스텐트 구조체에 의해 외주면이 덮이도록 설치되는 제2스텐트 구조체;를 포함한다.

6	형상기억합금을 이용한 인공근육모듈 및 이를 포함하는 시스템

출원인 한국기계연구원

출원일 2016.05.09

등록일 2018.02.02

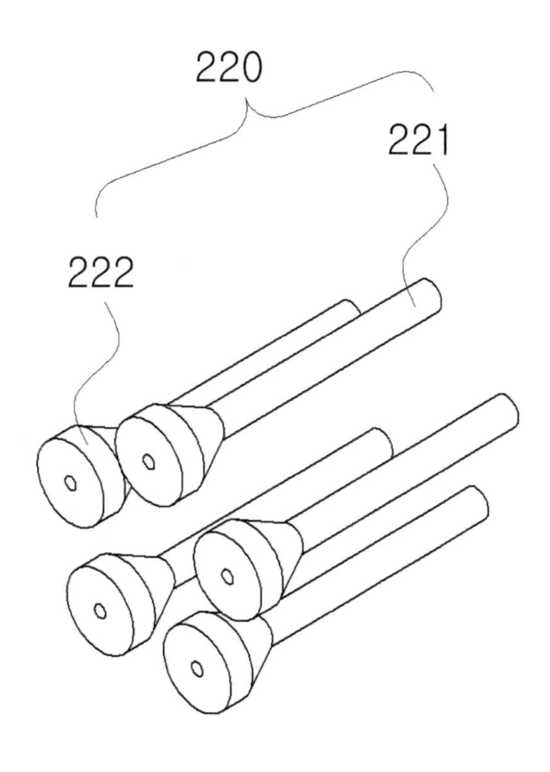

요약

본 발명은 형상기억합금을 이용한 인공근육모듈 및 이를 포함하는 시스템에 관한 것으로, 보다 상세히는 다수개의 형상기억합금부재를 하나의 단위체로 하여 큰 변위를 발휘할 수 있도록 하는 형상기억합금을 이용한 인공근육모듈 및 이를 포함하는 시스템에 관한 것이다.

7 형상기억합금 회전 액추에이터를 이용한 로봇 손

출원인 한밭대학교 산학협력단

출원일 2016.01.20

등록일 2017.11.30

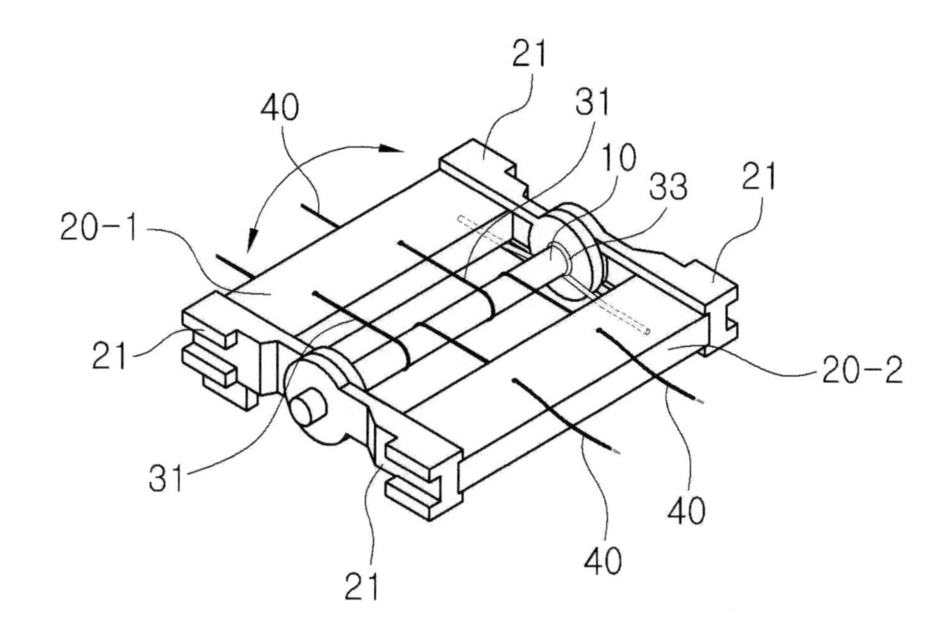

요약

본 발명은 2개의 회전체를 힌지 결합하는 회전축에 서로 반대방향으로 감기면서 양단이 상기 각각의 회전체에 연결되는 형상기억합금 소재의 와이어로 이루어져 외부 온도가 상승함에 따른 수축현상 및 초기로 복구되는 메모리 효과를 이용하여 회전체에 양방향 동력을 발생시키는 액추에이터를 관절마다 적용하여 사람의 손 관절의 움직임과 유사한 동작특성을 나타내는 형상기억합금 회전 액추에이터를 이용한 로봇 손에 관한 것이다.

8	형상기억합금 앵커 및 사물인터넷을 이용한 적응형 지반 변형 관리 시스템 및 그 방법

출원인 홍익대학교 산학협력단

출원일 2016.03.30

등록일 2017.04.24

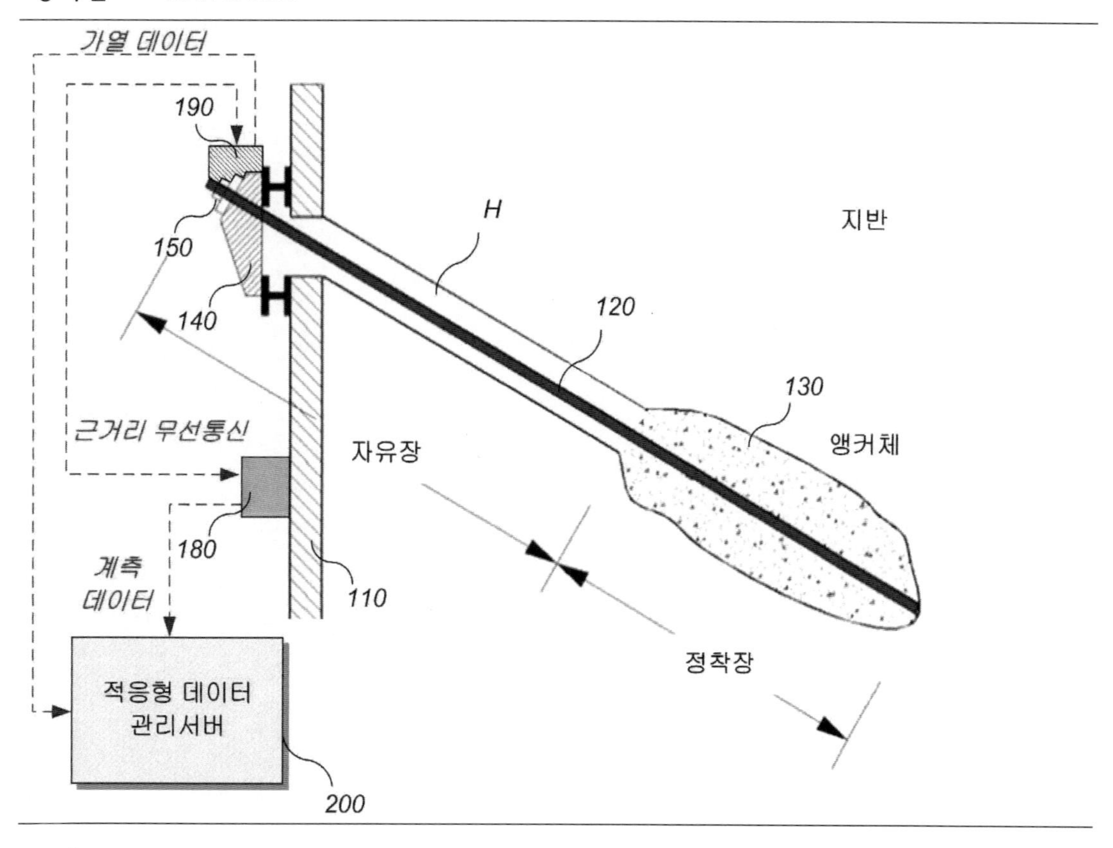

요약

형상기억합금(SMA) 앵커 및 사물인터넷을 이용함으로써, 벽체의 변형을 계측하는 센서와 연동되어 벽체의 변형이 임계값에 도달하면 자동으로 형상기억합금에 열을 가하여 지반의 변형을 적응형으로 시기적절하게 관리할 수 있고, 또한, 형상기억합금을 이용하여 지반보강 앵커에 작용하는 인장력을 증가시킬 수 있고, 굴착 지지 벽체의 변형을 억제함으로써 굴착으로 인한 지반의 변형을 용이하게 억제할 수 있으며, 또한, 신규 굴착공사 현장뿐만 아니라, 영구구조물의 형태로 매립된 앵커의 경우 크립(Creep)과 같은 장기거동으로 인해 인장력이 느슨해진 경우, 가열을 통해 지반보강 앵커의 인장력을 회복시킬 수 있는, 형상기억합금 앵커 및 사물인터넷을 이용한 적응형 지반 변형 관리 시스템 및 그 방법이 제공된다.

9 형상기억합금 스프링 제작 장치 및 방법

출원인 한국기계연구원

출원일 2015.07.13

등록일 2017.02.28

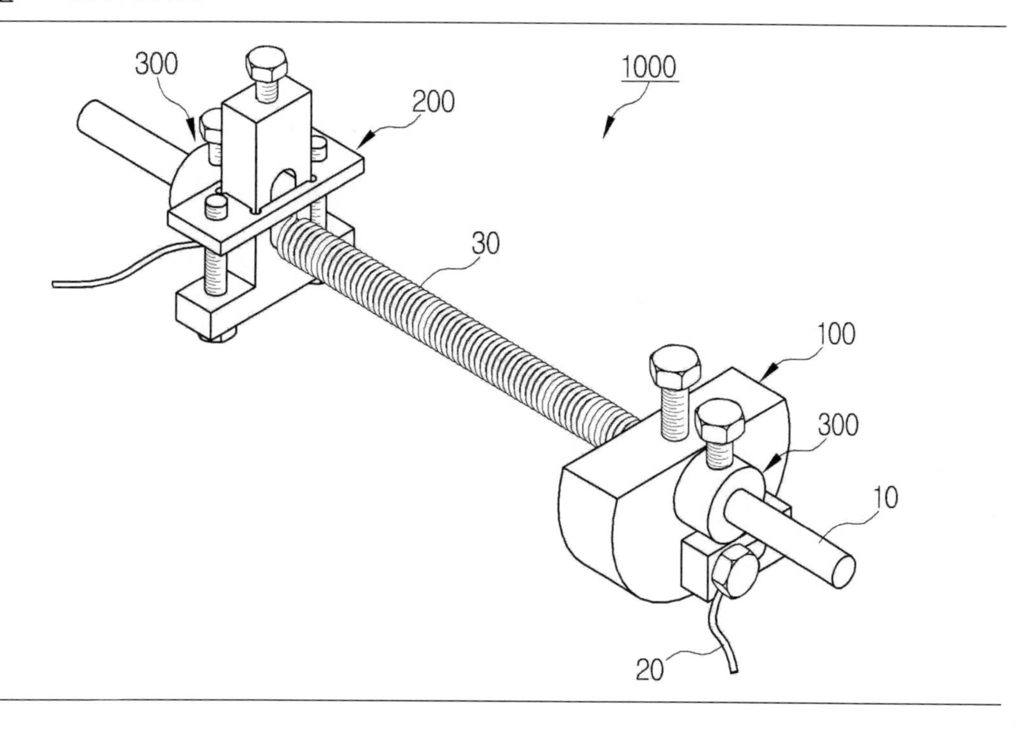

요약

본 발명은 형상기억합금 스프링 제작 장치(1000) 및 방법에 관한 것으로, 상세하게는 단일의 봉(10)에 와이어회전모듈(200), 와이어공급모듈(100) 및 스토퍼모듈(300)이 통과하여 간단한 일체의 구성으로 구비됨에 따라 스프링의 열처리가 용이하며, 다양한 직경의 봉(10) 및 와이어(20)가 적용됨으로써 다양한 형상의 스프링이 하나의 장치로 제작 가능한 효과가 있는 것을 특징으로 하는 형상기억합금 스프링 제작 장치(1000) 및 방법에 관한 것이다.

10 형상기억합금을 이용한 명함

출원인 인하대학교 산학협력단

출원일 2014.04.16

등록일 2016.06.01

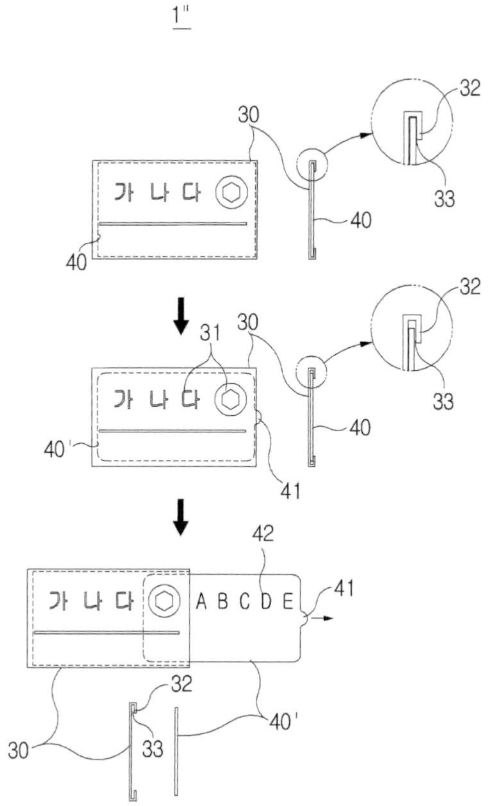

요약

본 발명은 형상기억합금을 직사각형의 얇은 시트 형상으로 절단하여 형성하고, 표면에 문자와 문양, 로고 또는 사진을 인쇄하며 상기 인쇄된 부분은 사용자가 명함을 잡을 때의 온도, 즉 사람의 체온에 의해 돌출되어 입체적으로 보이도록 일정 온도로 열처리하여 형상기억시킨 명함으로서, 형상기억합금은 Ti-Ni계 합금을 이용하고, 상기 Ti-Ni계 합금에서 Ti와 Ni의 중량비를 Ti 48 at.% 이하, Ni 58 at.% 이하로 구성하고 변태온도(Ms)를 330~220K으로 유지하며, 또한 상기 Ni를 Cu로 치환하거나 상기 Ti-Ni에 Nb, V, Cr, Mn, Co, Hf, Zr, Pd, Pt 중 적어도 하나의 원소를 첨가한 형태인 형상기억합금 명함이 제공된다.

다) 압전재료

1	압전성 섬유사, 이의 제조방법 및 이를 이용한 직물, 의류 제품 및 피복형 압전 센서
출원인	한국생산기술연구원
출원일	2014.10.30
등록일	2018.01.03

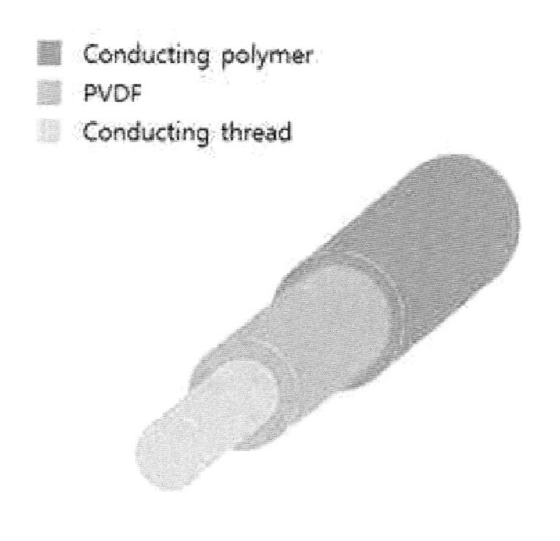

요약

본 발명은 압전성 섬유사, 이의 제조방법 및 이를 이용한 직물, 의류 제품 및 피복형 압전 센서에 관한 것으로, 더욱 상세하게는 코어 전도성 섬유사; 상기 코어 전도성 섬유사의 표면에 코팅된 압전재료층; 및 상기 압전재료층의 표면에 코팅된 전도성 고분자층을 포함함으로써 전극을 부착하지 않고도 섬유 재질 자체를 신호 검지용으로 사용할 수 있는 압전성 섬유사, 이의 제조방법 및 이를 이용한 직물, 의류 제품 및 피복형 압전 센서에 관한 것이다.

2	압전 소자 및 이의 제조 방법

출원인 연세대학교 산학협력단

출원일 2016.09.07

등록일 2018.05.23

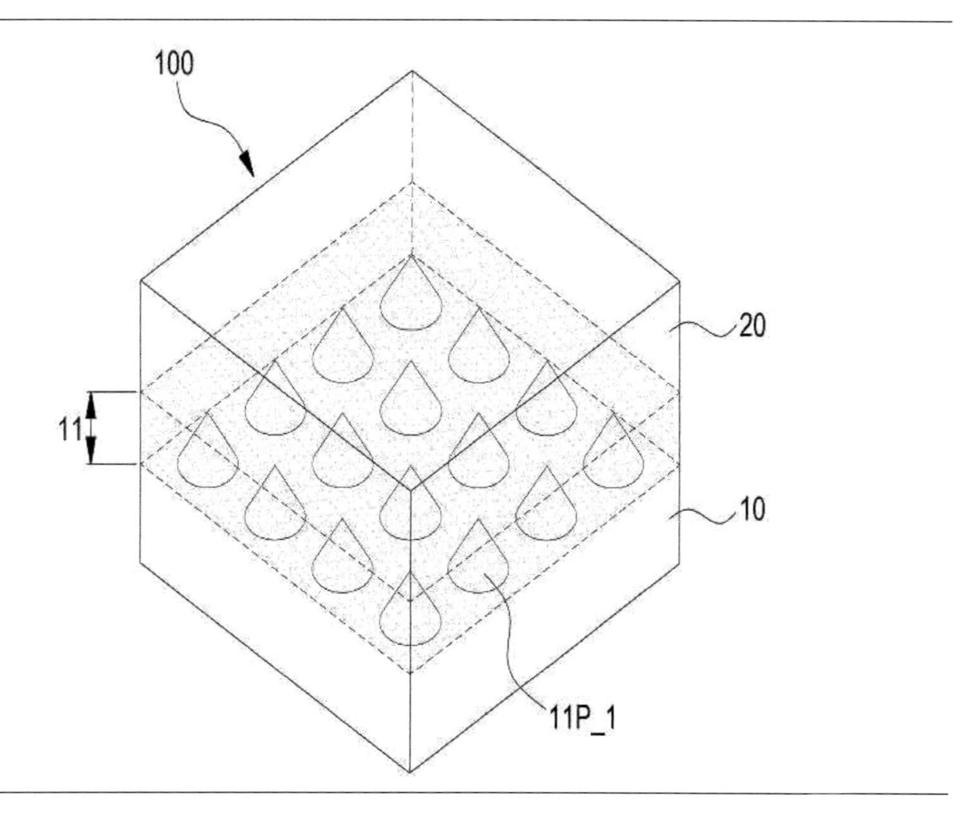

요약

본 발명은 압전 소자 및 이의 제조 방법에 관해 개시되어 있다. 본 발명의 일 실시예에 따른 압전 소자는 기판 상의 3 차원 구조의 패턴 표면 층을 포함하는 기판; 및 상기 패턴 표면 층 상에 형성된 압전 재료 층을 포함할 수 있다.

3	적층형 압전 소자

출원인 한국세라믹기술원

출원일 2016.07.27

등록일 2018.03.19

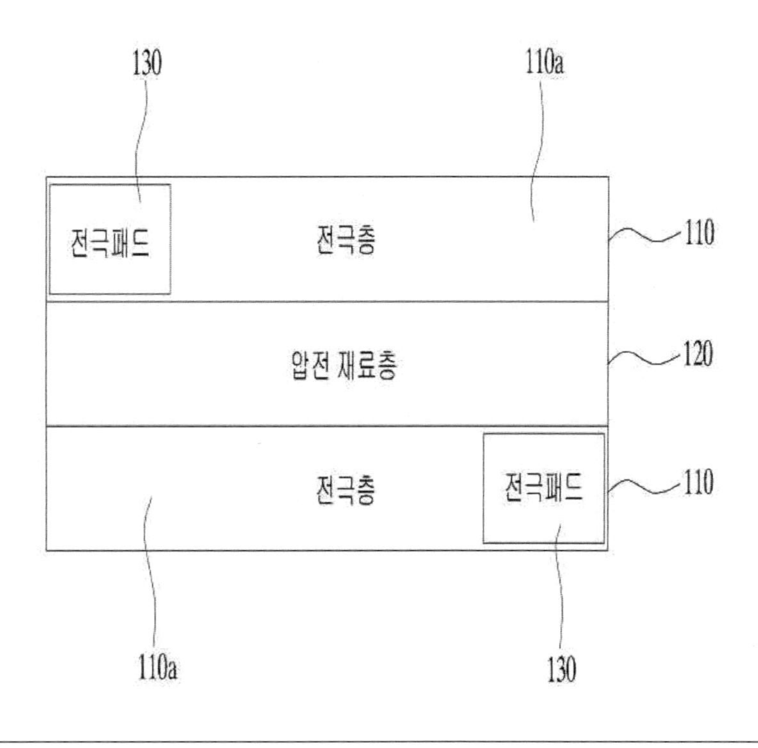

요약

본 발명에서는 적층형 압전 소자가 개시된다. 상기 압전 소자는 적어도 하나의 압전 재료층; 상기 압전 재료층의 상면 및 하면에 적층되는 적어도 두 개의 전극층; 및 상기 각각의 전극층의 동일한 면에 위치한 일측으로부터 연장된 전극패드를 포함한다. 이러한 압전 소자를 이용하면, 압전 소자의 분극만을 위한 별도의 전극이 필요 없으며, 이에 의해 압전 소자의 제작이 쉬워지고, 분극 전압 및 구동 전압을 인가하는 과정이 용이해질 수 있는 이점이 있다.

본 발명에 따른 압전 소자는 액츄에이터(actuator), 센서 또는 에너지 하베스터 등에 적용될 수 있다.

4 압전복합체를 이용한 에너지 변환장치 및 그 제조방법

출원인 한국과학기술원

출원일 2016.01.13

등록일 2017.07.19

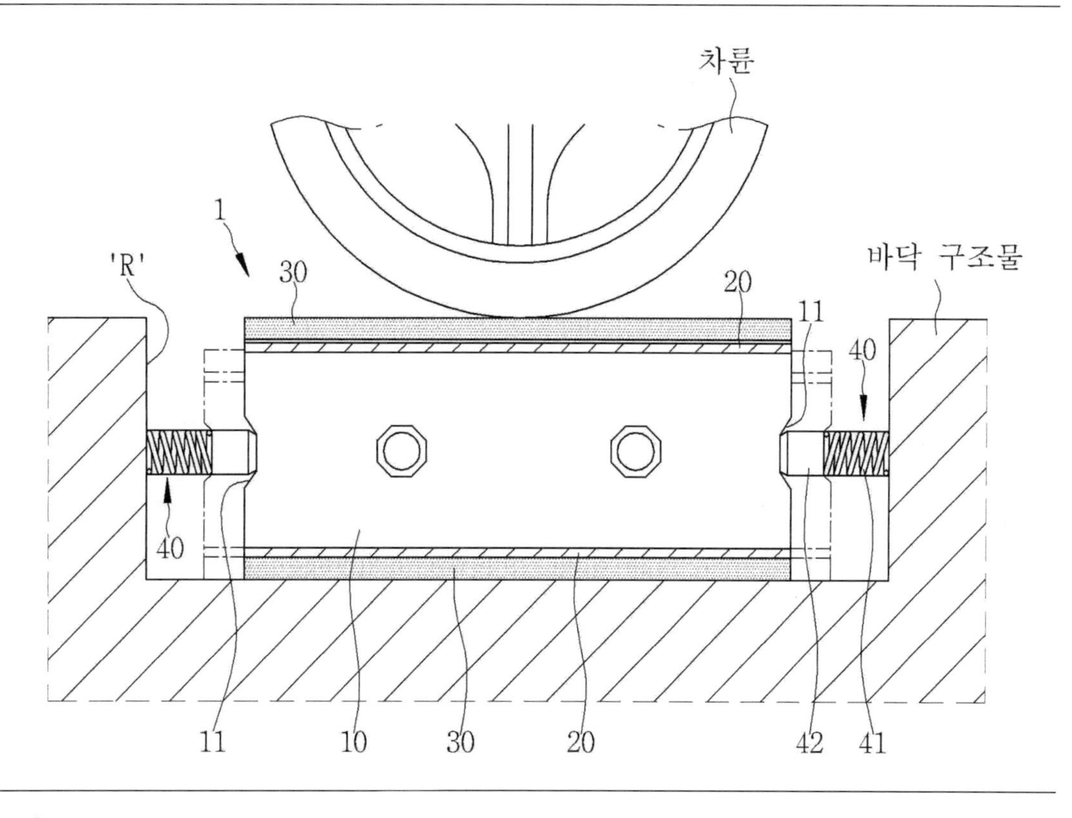

요약

본 발명은 압전재료를 폴리머 수지에 균일하게 분산시킬 수 있고, 압전효과의 시상수(time constant)를 향상시켜 고효율의 에너지 변환 성능을 얻을 수 있는 압전복합체를 이용한 에너지 변환장치 및 그 제조방법에 관한 것으로, 본 발명에 따른 에너지 변환장치는, 폴리머 수지, 압전재료 분말, 희석제, 탄소나노재료, 전도성 금속분말을 혼합한 압전복합체와; 상기 압전복합체의 상부면과 하부면에 적층되는 절연층과; 상기 압전복합체의 상부면 및 하부면과 상기 각각의 절연층 사이에 설치되어 외부의 전기장치와 전기적으로 연결되는 전극을 포함하는 것을 특징으로 한다.

5 압전 재료 시트 적층 구조체, 이를 이용한 스피커 및 이의 구동 방법

출원인 한국세라믹기술원

출원일 2015.12.30

등록일 2017.07.28

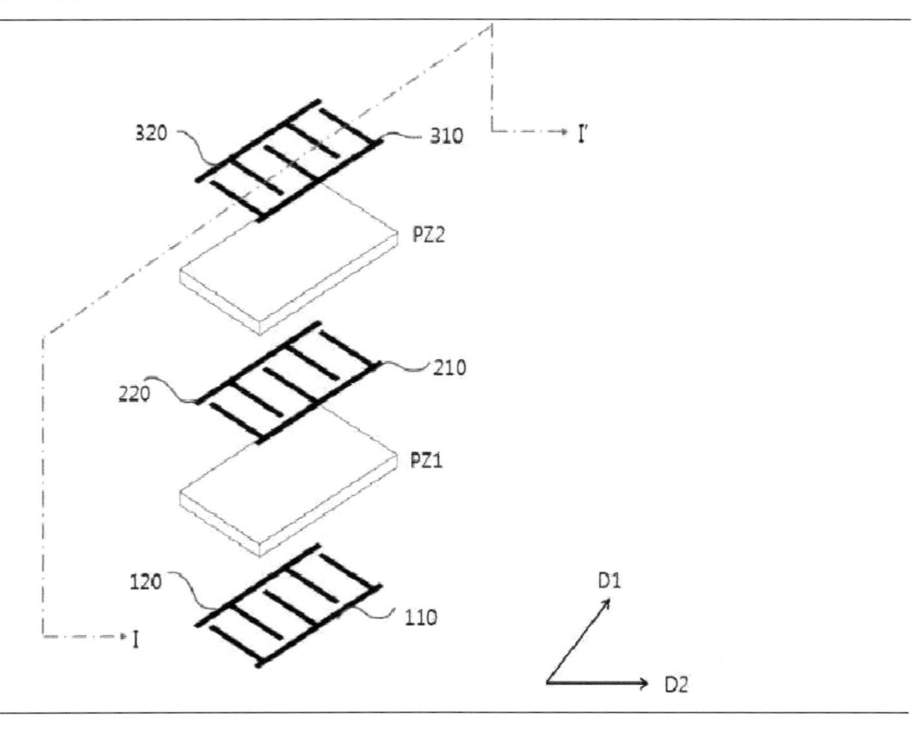

요약

본 발명은 압전 재료 시트 적층 구조체에 관한 것이고, 또한 이를 이용한 압전 스피커에 관한 것이며, 이러한 압전 스피커를 구동하기 위한 방법에 관한 것이다.

본 발명의 일 실시예에 따른 압전 재료 시트 적층 구조체를 이용한 스피커는 두 개의 압전 재료 시트가 서로 위아래로 겹쳐 있고, 상기 두 개의 압전 재료 시트의 윗면, 아랫면, 그리고 사이면에 전극 패턴들이 배치되며, 상기 두 개의 압전 재료 시트의 윗면 또는 아랫면에 진동판이 배치되고, 상기 전극 패턴들은 제 1 전극 패턴 및 제 2 전극 패턴으로 이루어져 있으며, 상기 제 1 전극 패턴 및 제 2 전극 패턴은 전기적으로 절연되어 있고, 각각 서로 맞물리는(interdigitated) 전극 패턴을 형성하는 복수의 전극을 포함하고, 상기 전극 패턴들은 상하 방향으로 서로 동일한 형태로 투영되도록 배치되며, 상기 두 압전 재료 시트의 압전 활성 영역의 분극 방향은 서로 반대이다. 특히, 본 발명에 따른 압전 재료 시트 적층 구조체 및 이를 이용한 압전 스피커는 웨어러블 장치나 자동차, 액츄에이터(actuator) 등에 적용될 수 있다.

6	압전 재료

출원인 캐논 가부시끼가이샤

출원일 2014.01.28

등록일 2016.06.21

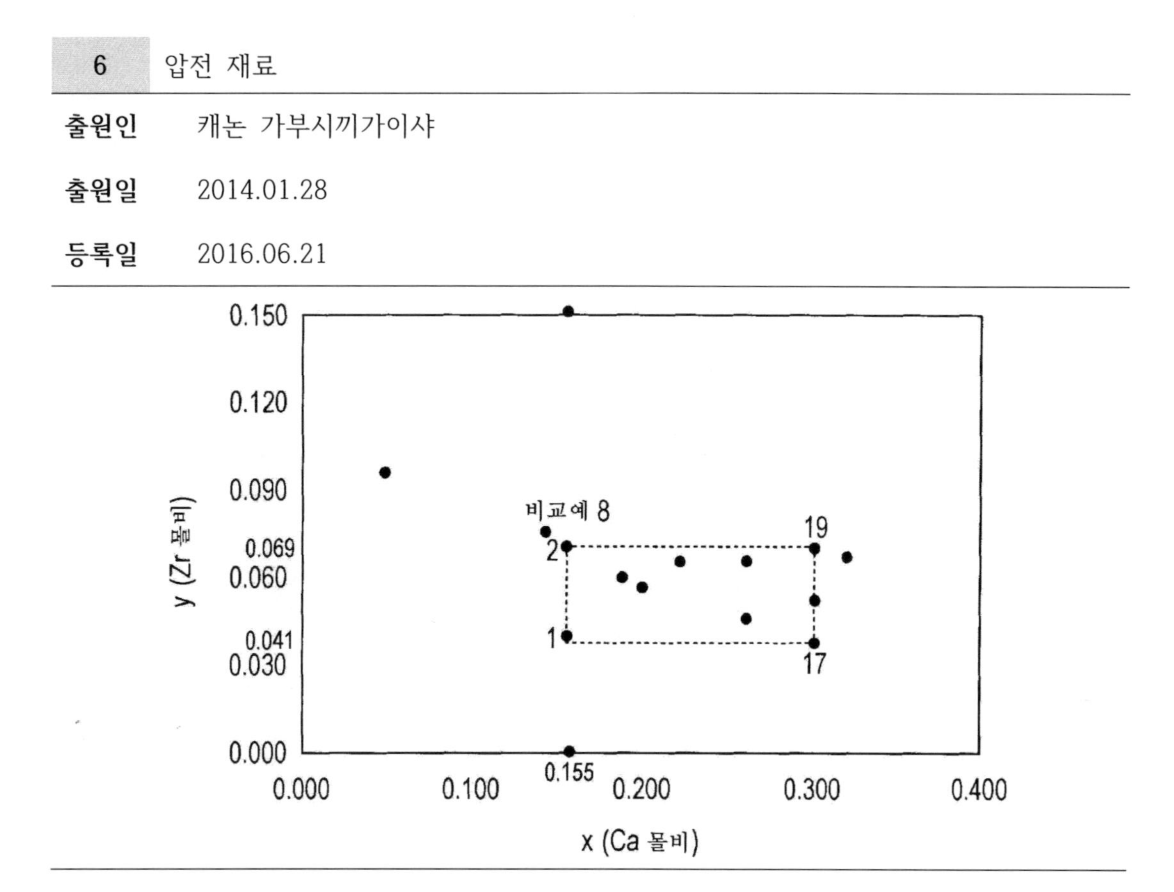

요약

넓은 동작 온도 범위에서 안정적이고 양호한 압전 정수 및 기계적 품질 계수를 가지는 무연 압전 재료를 제공한다. 압전 재료는 주성분으로서 (Ba1-xCax)a(Ti1-yZry)O3 (1.00≤a≤1.01, 0.155≤x≤0.300, 0.041≤y≤0.069)로 나타나는 페로브스카이트형 금속 산화물과, 상기 페로브스카이트형 금속 산화물에 함유된 Mn을 포함한다. 상기 페로브스카이트형 금속 산화물 100 중량부에 대한 Mn 함량은 금속 환산으로 0.12 중량부 이상 0.40 중량부 이하이다.

7	폴리비닐리덴 플루오라이드 및 부분술폰화 폴리아릴렌계 고분자의 혼합용액을 전기방사하여 제조되는 압전센서 및 나노발전 기능을 갖는 새로운 나노섬유 웹

출원인 경희대학교 산학협력단

출원일 2013.11.22

등록일 2015.07.29

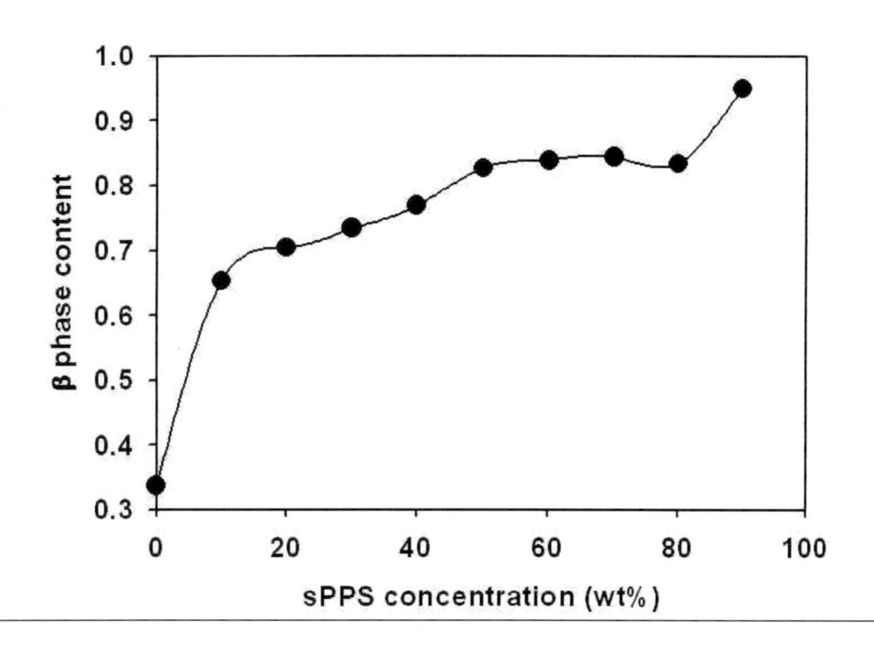

요약

본 발명은 PVDF와 부분 술폰화 PPS의 혼합용액을 전기방사하여 제조되는 압전센서 및 나노발전 기능을 갖는 새로운 나노섬유 웹에 관한 것으로, 구체적으로 폴리비닐리덴 플루오라이드[Poly(vinylidene difluoride)] 및 부분 술폰화된 폴리페닐렌술파이드[Poly(phenylene sulfide)]를 용매에 용해하고 이를 전기방사하여 압전성을 갖는 나노섬유 웹을 제조하는 방법에 관한 것이다.

본 발명에 따르면, 고비용의 재료를 사용하며 연신 및 고전압 처리가 별도로 필요한 기존 고분자 압전재료의 제조방법과는 달리 저비용의 재료를 사용하면서도 용매를 사용한 전기방사 만으로 우수한 압전성을 갖는 나노섬유 웹 형태의 압전재료를 제조할 수 있다. 또한, 본 발명에 따라 제조된 압전재료는 전기신호가 직류로 출력되기 때문에 제너레이터나 압전센서로 사용할 경우 별도의 정류장치를 필요로하지 않는다는 장점도 있다.

8	고분자 압전 재료 및 그 제조 방법
출원인	미쓰이 가가쿠 가부시키가이샤
출원일	2012.12.12
등록일	2015.01.27

No Image

요약

본 발명에서는, 중량 평균 분자량이 5만 내지 100만인 광학 활성을 갖는 나선형 키랄 고분자를 포함하고, DSC법으로 얻어지는 결정화도가 20% 내지 80%이며, 또한 마이크로파 투과형 분자 배향계로 측정되는 기준 두께를 50㎛로 했을 때의 규격화 분자 배향 MORc와 상기 결정화도의 곱이 25 내지 250인 고분자 압전 재료가 제공된다.

9	압전 섬유 복합재료 구조체 및 이를 이용한 다축 힘 측정 장치

출원인 국방과학연구소

출원일 2012.12.18

등록일 2014.07.01

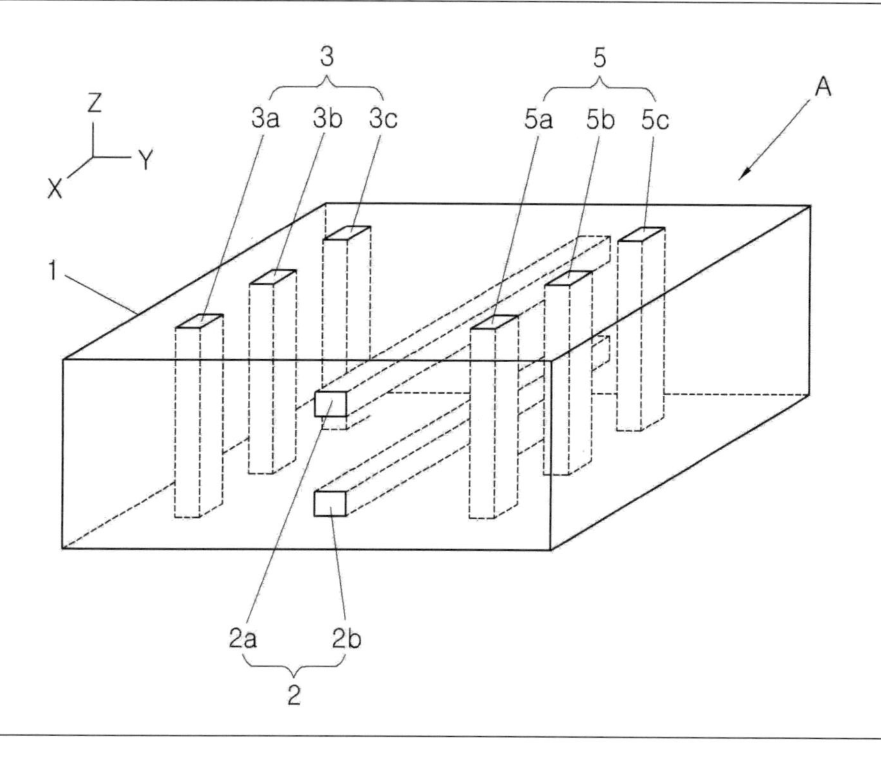

요약

본 발명의 압전 섬유 복합재료 구조체에는 XYZ좌표계를 기준으로 할 때, 적어도 2축으로 각각 압전 섬유가 배열되고, 상기 2축중 1개의 축에서는 XYZ좌표계의 수직성분인 Z축에 작용하는 외부 힘이 검출되며, 상기 2축중 다른 1개의 축에서는 XYZ좌표계의 수평성분인 X좌표나 Y좌표에 각각 작용하는 외부 힘이 검출되고, 상기 압전 섬유는 외부완경으로부터 내부를 보호하는 보호기지체(1,10,20)가 감싸도록 구성됨으로써 적어도 2축에 각각 작용하는 접지압 및 지면 마찰력이 동시에 검출될 수 있고, 특히 적어도 2축에 대해 압전 섬유의 배열 방향이 다양한 방식으로 최적화됨으로써 각각 측정되어진 힘에 대한 정밀도와 신뢰도가 크게 향상되는 특징을 갖는다.

라) 자왜재료

1	자기전기 복합체
출원인	한국기계연구원
출원일	2012.03.22
등록일	2013.09.02

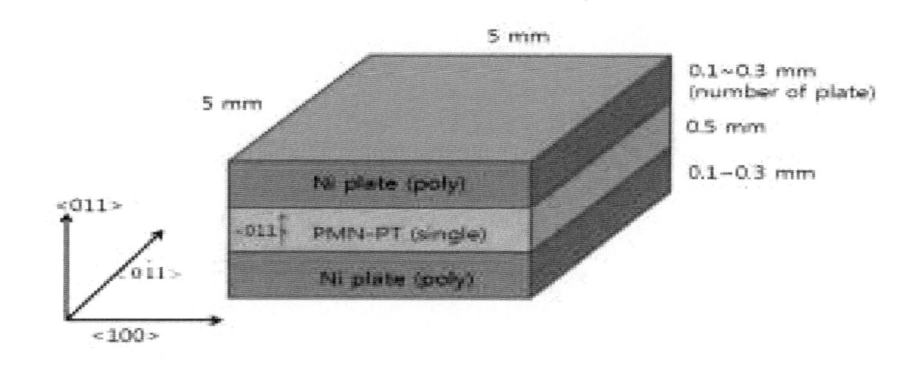

요약

본 발명은 압전 재료 와 자왜재료를 복합화 하여 재작되는 Magnetoelectric (ME)복합체에서 압전 재료로서는 높은 압전 특성을 가지는 압전 단결정 재료를 사용하고, 자왜재료로서는 높은 자왜 특성을 가지는 금속 자왜재료를 사용하여, 접착에 의한 층상구조의 ME 복합체를 구현할 수 있다.

이때, 압전 단결정 재료의 결정방향을 <011>의 결정방향이 두께방향으로 되도록 가공하여 ME 층상 복합체를 제조하면 기존의 <001>결정 방향에 대비하여 2배 이상의 높은 ME 전압 계수를 얻을 수 있으며, 이 효과는 복합체의 공전에서 더욱 극대화 된다.

마) **전기유변유체**

1	뉴토니안 유체 특성을 갖는 전기유변유체
출원인	삼성전자주식회사 인하대학교 산학협력단
출원일	2010.11.23
등록일	2012.05.31

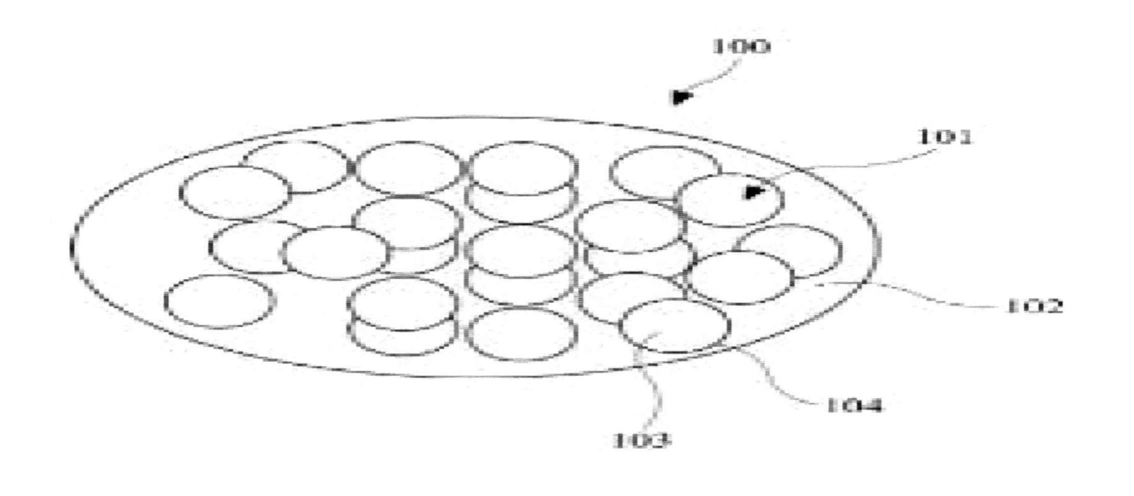

요약

본 발명의 일 양상에 따른 전기유변유체는 분극성 입자와 분산매를 포함한다. 분극성 입자는 실리카 입자에 기초하여 형성될 수 있다. 분산매는 실리콘 오일을 포함할 수 있다. 실리콘 오일은 수산기(hydroxyl group, -OH group), 아민기(amine group, -NH2 group), 메르캅토기(mercapto group, -SH group), 및 카복시기(carboxy group, -COOH group)중 적어도 어느 하나를 포함하는 변성 실리콘 오일이 될 수 있다.

2	실리카-이산화티타늄 중공구조 나노입자를 포함하는 전기유변유체의 제조방법
출원인	서울대학교산학협력단
출원일	2010.02.25
등록일	2011.12.05

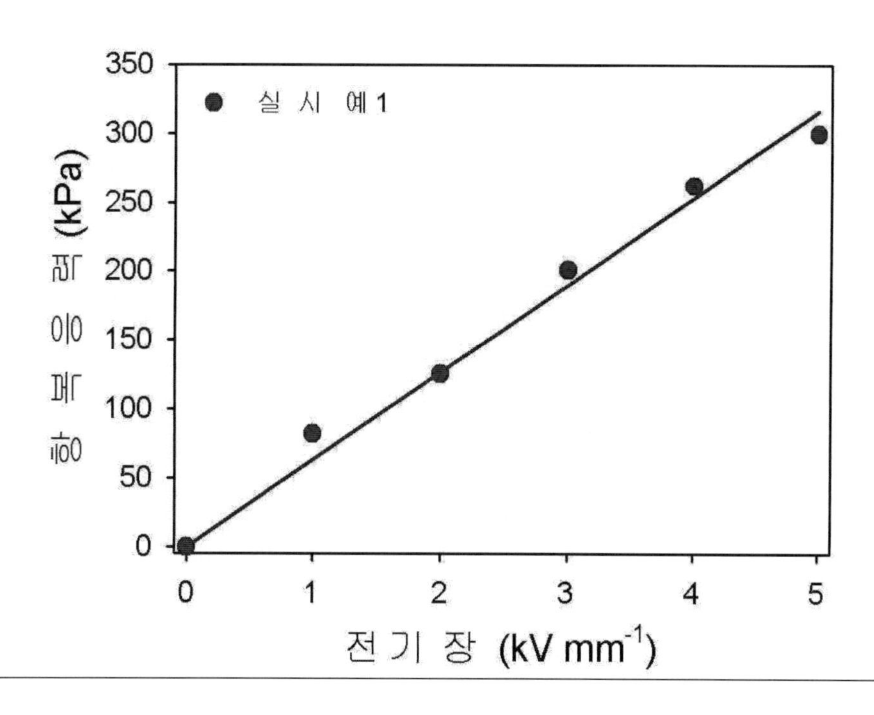

요약

본 발명은 실리카-이산화티타늄 중공구조 나노입자를 포함한 전기유변유체의 제조방법에 관한 것으로, 유전상수가 높은 이산화티타늄을 역평행패어링 효과를 감소시키고, 전기장에 반응하는 계면을 증가시키기 위하여 실리카와 혼합하여 중공구조 입자의 외부벽을 이루게 한 실리카-이산화티타늄 중공구조 나노입자를 절연유체에 도입한 후, 분산시켜 전기유변현상이 효율적으로 나타나는 실리카-이산화티타늄 중공구조 나노입자를 포함한 전기유변유체를 제조하는 방법을 제공한다.

본 발명에 따르면, 실리카-이산화티타늄 중공구조 나노입자가 이산화티타늄과 실리카가 혼합된 외부벽을 가지고, 이로 인하여 많은 이산화티타늄과 실리카의 계면을 가지며, 상기 계면이 전기유변유체에 있어서 저해요소인 역평행패어링 효과를 감소시키고 분극성능을 향상시킴으로써, 높은 항복응력을 가지는 전기유변유체를 용이하게 제조할 수 있는 장점을 가진다. 더욱이, 본 발명에서 제조될 수 있는 실리카-이산화티타늄 중공구조 나노입자를 포함한 전기유변유체는 중공구조 나노입자의 함량, 나노입자의 크기, 이산화티타늄의 도입량에 따라서 항복응력의 용이한 조절이 가능하다.

3 자기유변유체가 함침된 폴리우레탄/아라미드 복합재료 및 그 제조방법

출원인 국방과학연구소

출원일 2013.09.11

등록일 2015.03.20

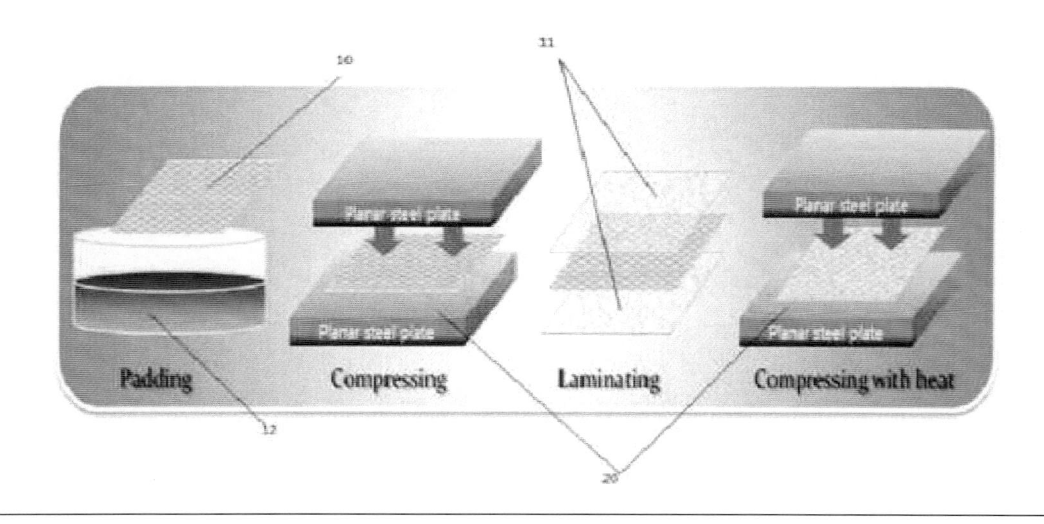

요약

본 발명은 기존 방호재료인 아라미드 섬유에 자기유변유체의 함침 및 폴리우레탄 필름의 적층을 통해 제조될 수 있는 자기유변유체가 함침된 폴리우레탄/아라미드 복합재료 및 그 제조방법을 제공하기 위한 것이다. 또한, 아라미드 섬유기제를 자기유변유체에 함침시키는 단계, 상기 아라미드 섬유기재 외측에 상기 자기유변유체가 함침되어 형성된 중간 조성물을 압축하는 단계, 그리고 상기 중간 조성물의 외측에 폴리우레탄 필름을 점층시키는 단계 및 열압축하는 단계를 특징으로 한다.

본발명의 장점은 기존 방호재료인 아라미드 섬유에 자기유변유체 함침 및 폴리우레텐 필름의 적층을 통하여 경량성 및 유연성이 뛰어나고 동시에 내열성과 기계적 강도가 우수한 자기유변유체가 함침된 폴리우레탄/아라미드 복합재료를 제조할 수 있는 장점이 있다.

나. 4D 프린팅 사례

1) 아디다스의 런닝화 '알파엣지4D'[13)]

[그림 17] **아디다스의 런닝화 '알파엣지4D'**

4D프린팅 기술을 이용한 사례로 대표적인 것은 아디다스에서 만든 4D프린팅 기술을 이용해 만든 런닝화 이다. 최근, 신발에도 4D프린팅 기술이 접목되면서 MIT 어셈블리랩에서 선보인 신발은 자유자재로 모습을 바꾸면서, 조깅할때는 발바닥에 가해지는 압력이 높아지기 때문에 신발이 알아서 수축하고, 조깅을 멈추면 신발이 늘어나 착용자의 발을 편안하게 해준다.

이로인해, 아디다스는 4D 프린팅 기술을 적용한 미래형 운동화 '알파엣지4D'를 출시했다. 미국 실리콘밸리 3D프린터 기업인 카본(Carbon)사와 함께 '아디다스 4D' 중창(미드솔)을 발표하면서, 각 선수 에게 필요한 움직임, 편안함을 정확하게 제공해 다양한 지형에서도 빠른 러닝을 즐길 수 있게 되었다.

13) 4D프린팅의 시대/ LG이노텍 뉴스룸

2) BMW의 차세대 자동차인 비전넥스트 100[14)]

[그림 18] **BMW의 차세대 자동차인 비전넥스트 100**

또한 4D 프린팅 기술을 이용한 사례로는 4D자동차이다. 최근 BMW가 공개한 비전넥스트100은 4D프린팅 기술의 진수를 보여주는 사례이면서 실물은 아니지만, 전문가에 따르면, BMW에서 공개한 이미지 컨셉카만 보더라도 4D프린팅 기술의 혁신성을 짐작할 수 있다.

비전넥스트100은 4D 프린팅 기술을 적용함으로써, 운전 상황과 환경 조건에 따라 디자인이 변화하는데, 예를 들어 바퀴 휠에 4D 프린팅 신소재를 적용해 험한 도로를 달리거나 급회전으로 운전대를 돌릴 때 바퀴의 외형태가 달라진다. 바퀴뿐만 아니라 4D 프린팅으로 출력한 좌석 덕분에 운전 상황에 맞게 좌석이 자유자재로 팽창했다가 수축하고 또한, 운전자가 차에서 잠시 잠을 청하려고 하면 좌석의 공기압이 변하면서 운전석이 편안한 침대로 변신하기도 한다.

14) 4D프린팅의 시대/ LG이노텍 뉴스룸

5. 4D 프린팅 기업

5. 4D 프린팅 기업

가. Stratasys

[그림 20] Stratasys

스트라타시스는 세계 1위의 3D 프린터 제조업체로, 미국 스트라타시스와 이스라엘 오브젯이 합병해 탄생한 회사로, 기업 규모로나 기술력 면에서 업계에서 가장 앞섰다는 평가를 받고있다. Stratasys는 1,200건 이상의 특허를 가지고 있으며 2017년도에는 매출의 14.4%를 R&D 비용으로 사용하는 등 점점 심화되는 경쟁에 대비하고 있다. 스트라타시스의 3D프린터는 자동차, 우주항공, 건축, 소비자제품, 교육, 헬스 케어, 전자 및 중공업등 다양한 산업분야에서 사용되고 있으며, 전 세계적으로 고객을 확보하고 있고 200개 이상의 영업 파트너들 이 있고 국내에도 2014년에 스트라타시스 코리아를 설립하였다.

Stratasys는 개인 디자이너에서부터 제품 개발을 위한 협업 및 제조 부서에 이르기까지 고객에게 가장 적합한 FDM 및 PolyJet 3D 프린터를 제공하고 있다. Stratasys는 Idea Series와 Design Series, Production Series 프린터를 판매하고 있다.

① Idea Series

Idea Series는 전문가용 3D프린터로, Stratasys Mojo 및 uPrint SE Plus 3D가 이 카테고리에 속해있다. Idea Series는 합리적인 가격에 사용할 수 있는 모델이다.

② Design Series

PolyJet 3D 프린팅 기술을 기반으로 하는 정밀 3D 프린터는 최고의 표면 품질, 정교한 디테일 및 이용 가능한 다양한 범위의 재료 특성을 제공하고 향후 완제품과 거의 유사한 외관과 느낌을 가진 색상과 복합 재료를 생산한다. FDM Technology로 한층 강화된 알맞은 3D 프린터는 실제 ABSplus 열가소성 수지로 모델을 제작한다. 이렇게 만든 부품은 내구성이 높고 까다로운 시험을 거쳐도 치수 변형이 거의 없고, 재료가 저렴하므로 반복적으로 작업하고 빈번하게 테스트할 수 있다.

③ Production Series

FDM Technology를 기반으로 하는 이 시스템은 사출 성형, CNC 기계 가공 및 기타 전통적인 제조 공정에 사용되는 동일한 산업용 열가소성 수지를 사용한다. PolyJet 3D 프린팅 기술을 기반으로 하는 이 시스템은 최고의 표면 품질, 정교한 디테일 및 사용 가능한 최대 범위의 재료 특성을 제공한다.

나. Autodesk[15)]

[그림 21] Autodesk

오토데스크는 아키텍처, 공학, 제조, 미디어, 엔터테인먼트의 이용을 위해 2차원, 3차원 디자인의 소프트웨어에 초점을 맞춘 미국의 다국적 기업이다. 오토데스크는 1982년에 회사의 대표 캐드 소프트웨어 제품 오토캐드의 초기 버전 공동 제작자 존 워커등 12명이 세웠다. 캘리포니아 산 라파엘에 본사를 두고 있다. 오토캐드, 3D 스튜디오, 3D 스튜디오 맥스, 마야 등의 소프트웨어로 유명하다.

① 오토캐드

Autodesk의 오토캐드를 이용하면 포괄적인 도면, 편집 및 주석 도구를 사용하여 2D 문서와 도면을 제작할 수 있으며, 3D 모델링 및 시각화 도구를 사용하여 거의 모든 설계를 작성할 수 있다.

② 마야

마야는 Autodesk의 3D 애니메이션 소프트웨어로, 텍스처링, 모델링, 광원 처리, 애니메이팅, 시뮬레이션 및 랜더링 도구가 하나의 일관된 사용자 인터페이스로 통합되어 있다. 컴퓨터 그래픽을 이용한 특수효과는 새로운 영상기법이 가능해졌고, 캐릭터 애니메이션, 비디오 게임, 영화 등의 시각효과 면에서도 다른 프로그램에 견주어 탁월한 편이다.

15) 오토데스크/ 위키백과

다. 3D Systems

[그림 22] 3D systems

1983년 3D Systems사의 창립자인 척 헐은 최초의 3D 프린터 부품을 제작했고, 광조형기술(SLA)를 발명했다. 이후 1984년 광조형 기술에 대한 특허를 신청했고, 1986년 3D systems를 창립하며 세계 최초의 3D 프린팅 회사가 탄생하게 되었다.

3D systems는 최고수준의 적층 제조 솔루션과 전문성을 제공하여 각 산업 부문의 발전을 도모한다.

3D systems의 3D 프린터는 크게 금속 프린터, 플라스틱 프린터, 풀 컬러 프린터, 금속 주조 프린터, 치과용 프린터로 나눌 수 있다.

① 금속 프린터

금속 부품 설계를 재정의하고 간소해진 어셈블리, 경량화로 새로워진 제품, 구성 요소 및 공구를 생산할 수 있으며 소프트웨어, DMP 기술, 인증된 재료와 전문가 응용 분야 지원으로 구성된 통합된 정밀 금속 제조 솔루션을 통해, 시간과 비용을 절약하고 파트 경량화를 달성할 수 있다.

② 플라스틱 프린터

3D Systems의 플라스틱 3D 프린터는 플라스틱으로 원형제작에서 생산까지 가능한 솔루션이며, 대표적인 예는 생산적이고 효율적인 디지털 제조 솔루션인 Figure 4가 있으면서, 산업용, 치기공, 맞춤형 등 광범위한 소재를 사용해 연간 100만 개가 넘는 부품을 생산하였다.

③ 치과용 프린터

치과용 프린터는 혁신적인 3D 디지털 치과 솔루션은 새로운 차원의 임상효과, 워크플로 효율성 및 워크플로 자동화를 구현한다. 이 3D프린터는 전문가, 소재 과학자, 응용 분야 엔지니어, 전문 리셀러 팀의 교육 및 지원에 의지하여 혁신을 강화하고 효율적인 디지털 워크플로를 제공한다.

6. 결론

6. 결론

4차 산업혁명에 들어와 '3D 프린팅'은 큰 주목을 받았다. 하지만, 3D 프린팅에는 크기의 제한이나 조립의 문제점이 존재한다. 이러한 3D 프린팅의 문제점을 해결하기 위해 차원이 더해진 4D 프린팅이 많은 관심을 받고 있다.

온도와 시간 등과 같은 외부의 특정 자극 요소에 의해 특성과 습성이 변환하거나 스스로 모양을 변형시키는 4D 프린팅은 3D 프린팅이 활용되었던 다양한 분야에 더욱 더 넓은 활용도를 가지고 사용될 것으로 전망되고 있다.

4D 프린팅의 활용 예제로는 온도에 반응하는 의수에서부터 신체 내에서 변형이 필요한 인공심장, 인체제 적응하도록 설계된 임플란트까지 다양한 분야를 들 수 있다.

이로인해, 4D 프린팅은 의료기술 뿐만 아니라 의루, 신발 자동차까지 다양한 분야로 4D 프린팅 사업에 뛰어들고 있는데, 대부분의 기업들은 4D 프린팅을 구현하기 위해 스마트 소재의 개발과 활용에 집중하고 있다.

최근 주목받기 시작한 4D 프린팅 기술은 인간의 뼈를 형상화하기 시작했다. 4D 프린팅 기술은 뼈대에 붙은 신경조직과 골격근, 인대 등도 함께 변화시킨다. 이제 프린터로 자유자재로 변화하는 생명력을 구현하게 된 것이다. 4D 프린터 기술은 기존의 3D 프린팅보다 한층 발전된 기술로 생명과학, 나노과학, 항공우주산업 등과 융합돼 미래 SF 영화보다 더 영화 같고 애니메이션 만화보다 더 만화 같은 첨단기술을 선보일 전망이다.

또한, 4D프린터를 통해 3D프린터로는 출력이 어려운 대형구조물인 건축물에도 미래의 자동차가 큰 영향을 줄 것이다. 대표적인 목적으로는 군사적 목적으로 유용하게 활용될 전망이면서, 적에게 들키지 않기 위해 위장술을 해야 하는 군인들에게 환경에 따라 변화하는 위장복은 기본이다. 전쟁이나 비상상황이 발생 시 임시 건축물을 짓는 것도 쉽게 해낼 수 있다. 이외에도 4D 프린팅의 활용 분야는 무궁무진하다. 항공 및 우주산업에도 커다란 역할을 하게 될 것이다. 앞으로 4D 프린팅기술이 가져올 미래가 궁금해진다.

7. 참고문헌

[1] 3D 프린팅 고분자 소재의 현황과 연구방향, KEIT, 2014.08

[2] 끝없는 기술의 혁신, 3D 프린팅을 넘어 4D 프린팅으로, 조태일, KOTRA, 2016.11.24.

[3] 3D 프린터 다양한 소재/ 네이버 포스트

[4] 4D프린팅의 시대/ LG이노텍 뉴스룸

[5] SF 영화 속 기술이 현실이 되다!'4D 프린팅'/ 삼성디스플레이 뉴스룸

[6] 4D프린팅 관련기업/ 위키백과

초판 1쇄 인쇄 2018년 9월 4일
초판 1쇄 발행 2018년 9월 14일
개정판 발행 2022년 1월 3일

편저 ㈜비피기술거래
펴낸곳 비티타임즈
발행자번호 959406
주소 전북 전주시 서신동 780-2 3층
대표전화 063 277 3557
팩스 063 277 3558
이메일 bpj3558@naver.com
ISBN 979-11-6345-329-1 (93580)

이 도서의 국립중앙도서관 출판예정도서목록(CIP)은 서지정보유통지원시스템 홈페이지 (http://seoji.nl.go.kr)와 국가자료공동목록시스템 (http://www.nl.go.kr/kolisnet)에서 이용하실 수 있습니다.